De la couleur du sang

Marc Maillé

De la couleur du sang

Collection Le Treize noir

La Veuve noire, éditrice inc.
145, rue Poincaré, Longueuil, Québec J4L 1B2
www.veuvenoire.ca

La Veuve noire, éditrice remercie le Conseil des Arts du Canada et la SODEC pour l'aide accordée à son programme de publication.
La Veuve noire, éditrice bénéficie également du Programme de crédit d'impôt pour l'édition de livres – Gestion SODEC – du gouvernement du Québec.

Conseil des Arts du Canada Canada Council for the Arts

Dépôt légal: 2007
Bibliothèque nationale du Canada
Bibliothèque nationale du Québec

Données de catalogage avant publication de Bibliothèque et Archives Canada

Maillé, Marc

De la couleur du sang (Collection Le Treize noir)

ISBN 978-2-923291-11-6

I. Titre. II. Collection.
PS8626.A417D42 2007   C843'.6   C2007-941321-8
PS9626.A417D42 2007

Illustration de la couverture
et conception de la maquette :
Robert Dolbec

À tous ceux que je ne connais pas
et qui ont besoin de se sentir aimés.

1

Le vendredi 23 mai 2003, la célèbre chanteuse pop Roxane, naguère *glamoureuse* chérie d'une myriade de journaux à potins, savait qu'elle jouait sa carrière, pour ainsi dire sa vie de vedette. Vous ne l'avez tout de même pas oubliée. Roxane, rappelez-vous, elle avait de longues jambes, des échasses de vamp, aux mollets irrésistibles, reluquées encore, malgré l'amollissement naturel des chairs, par ses admirateurs de la première heure. Ses cheveux auburn lustrés et ondulés, dont on avait oublié depuis longtemps la véritable couleur, dessinaient toujours des arabesques luxuriantes. Cette femme opiniâtre s'était soumise, au fil de ses reprises de poids, à différents régimes dont l'un constitué exclusivement de jus de raisin, lequel l'avait affaiblie dangereusement, tout cela dans l'optique toujours renouvelée de correspondre à l'image idéale qui devait assurer sa pérennité. Résultat : l'élasticité de sa peau s'était progressivement réduite et son corps avait pris des rondeurs un peu flasques, difficiles à camoufler. Ne pouvant plus atteindre son poids idéal, Roxane avait opté pour une sensualité ostentatoire. Ainsi, sa poitrine s'offrait plus généreuse que jamais dans des décolletés toujours plus plongeants. Avec son dernier spectacle, elle allait jouer le tout pour le tout. En cet instant des plus critiques, ses longs doigts, aux ongles postiches soigneusement colorés d'un orangé pastel, s'agitaient nerveusement. Ce que Roxane allait présenter au public, c'était toujours elle, oui, mais transfigurée, métamorphosée, et cela plairait sans l'ombre d'un doute à ceux qui l'entendraient. D'ici là, il ne fallait pas perdre patience. Il importait de préparer avec minutie ce nouveau triomphe. Il n'était alors que quatorze heures, mais, dans l'attente de la dernière répétition, elle se tenait déjà aux aguets, sur la vaste scène de la *Salle des Spectacles* de Montréal, à scruter le décor qu'elle avait elle-même conçu. De longues bandes de soie jaune descendaient en rayons torsadés et se joignaient au milieu de l'arrière-scène, formant un amas flamboyant de nœuds arrondis. Le tout évoquait le soleil levant. Et cette soie synthétique allait bientôt s'illuminer de merveilleux chatoiements sous l'effet des projecteurs. Dans ce savant falbala, un symbole se déployait : celui de sa renaissance. Après la chanson, la décoration était du reste sa passion la plus prenante, une passion vraiment très onéreuse. Ce soir-là, il fallait absolument qu'elle remontât la pente. Son fils lui avait arraché bien de l'argent ces derniers mois. Il était impérieux qu'elle se renflouât et qu'elle mît un terme à cette hémorragie de fonds qui ébranlait sa tranquillité d'esprit. Son cher piano à queue dans sa blanche pureté la réconfortait. Il l'aiderait à surmonter les difficultés. Ce vieux copain de route la suivait depuis si longtemps sans rien exiger d'elle de plus que ce qu'elle voulait bien lui donner : sa voix chaude et veloutée. Ce jour-là, il fallait conjurer le mauvais sort. Pour la répétition, Roxane avait décidé de se mettre à l'aise ; elle avait chaussé ses espadrilles beiges dont la toile patinée était recouverte de fines perles. Elle portait un pantalon de lin olive et un chemisier de soie brute dont le turquoise léger évoquait les mers du Sud. Malgré le soin qu'elle avait mis à s'habiller pour se sentir bien, un mal la grugeait, ternissait la magnificence de ce qui l'entourait. Son imprésario et producteur de toujours avait été plus que réticent à continuer l'aventure avec elle. Mario Ricard n'était pas l'homme le plus charitable qui fût. Il n'était au fond qu'une sale vermine. Roxane se rappelait avec nostalgie qu'au temps de ses grands succès, il semblait presque lui vouer un culte ; sur toutes les tribunes, il répétait que Roxane n'était pas une étoile filante, mais une artiste accomplie au charme irrésistible. Que s'était-il passé depuis ? Son talent s'était-il évaporé ? Certes pas. Si elle vendait moins de disques, c'était que la mode fluctuait. Justement, dans son nouveau spectacle, elle essayait de s'adapter. Elle avait même introduit au milieu d'une chanson se moquant des goûts éphémères une séquence de rap où elle ironisait en déclamant rageusement :

Les jeunes sont beaux ; les vieilles sont laides
Quand j'aime une fois, c'est bien assez
On est bien sûr bandé bien raide
Avec le dernier CD lancé.

Elle espérait que ses fidèles fans se rangeraient de son côté quand ils entendraient cette boutade bien sentie. Elle voulait aussi, en grattant le vernis habituel de ses chansons d'amour, de ses chansons de plage ou de celles légèrement country rock lui rappelant son enfance, se dégager de l'image figée à l'intérieur de laquelle elle se voyait désagréablement engoncée. C'était peut-être sa dernière chance d'entreprendre un retour remarqué. Et cela l'aiderait sans doute à décrocher l'émission estivale qu'elle convoitait, une émission de variétés légère qui allait être diffusée sur les ondes de Radio-Canada. Travailler pour la société d'État contribuerait également à remodeler favorablement son image. Peut-être cesserait-on de la percevoir comme la plus kitsch des divas. Mais il fallait qu'elle se mesurât à un jeune concurrent fort ambitieux qui avait pour lui la beauté et l'effronterie de la jeunesse : le métrosexuel Hervé l'Œil. La réussite devenait une obligation pour elle. La nécessité d'obtenir des résultats probants venait du fait aussi que Mario perdait de l'argent à la produire en spectacle et qu'il avait fallu cette fois passer par le chantage pour débloquer l'impasse. Roxane détestait pourtant la brutalité ; comment avait-elle pu en venir à cette dernière extrémité ? La vue de Sylvie Boisjoli, son accessoiriste et régisseuse, la tira de sa méditation tourmentée. Elle la salua.

— C'est un grand jour, lança Sylvie.

— Il n'y en a pas de plus grand.

— Nous veillerons à ce que ce soit une réussite totale. Le pianiste n'est pas arrivé ?

— Non, il tarde. Un embouteillage doit le ralentir.

— Moi, je vais m'assurer que l'éclairagiste est bien en place.

— Au fait, quand je suis arrivée, le concierge m'a dit que tu avais oublié ton casque d'écoute dans ma loge. Il l'a remisé dans la salle des accessoires.

— C'est bien. Roxane, ne soyez pas inquiète ! Tout va se passer à merveille. Ce spectacle que vous avez monté avec tant d'application, je vous le dis sincèrement, c'est le meilleur de tous.

— Croisons-nous les doigts, répliqua Roxane en faisant le geste auquel elle faisait référence.

2

Pourquoi donc le pianiste ne se pointait-il pas ? La répétition devait commencer à quatorze heures trente. Il ne restait plus que quinze minutes. *La Marche nuptiale* de Mendelssohn se déclina soudainement en notes synthétiques ; Roxane se précipita alors vers son sac à main, en peau de serpent véritable, qu'elle avait laissé dans les coulisses, pour y dégager son téléphone portable. Elle reconnut immédiatement la voix de Mario Ricard.

— Comment ça va, ma belle ?

— Ne me parle plus comme si j'étais une enfant, Mario. Ce temps-là est fini.

— Ça va, mais je n'ai pas apprécié ton chantage. Sache que j'y cède une dernière fois en mémoire du bon vieux temps. Je n'ai pas les moyens d'être un mécène à la Médicis.

— Insignifiant, n'essaie pas de m'impressionner avec ta culture ! Quand je suis allée à ton chalet de Sainte-Adèle la semaine dernière, j'ai été dégoûtée quand je t'ai surpris en train de te faire sucer par le petit Martin Bulle. C'est encore un enfant, comment peux-tu t'abaisser à ce point ?

— Si ce n'était de moi, sa famille serait dans la dèche. Avant, il mangeait du bœuf haché, maintenant il peut se mettre du filet mignon sous la dent. Grâce à moi, il est devenu une vedette.

— Mais il n'a que douze ans, y as-tu pensé ?

— Tu t'en fais pour rien. Il aime ça.

— Je ne sais pas si ma conscience pourra supporter longtemps mon silence.

— Dis un seul mot et tout le monde saura comment tu as manigancé pour mettre fin à la carrière de Sylvie Boisjoli. Sache qu'elle avait plus de talent que toi, qu'elle était plus belle et que tu as été responsable de son brusque retrait de la vie artistique.

— Je n'ai pas agi seule. Ce n'est pas moi qui ai engagé des musiciens exécrables pour l'enregistrement de son deuxième disque dont la prise de son n'était d'ailleurs pas fabuleuse, c'est le moins qu'on puisse dire. Et ce parolier à qui tu as passé la commande de chansons pas trop intéressantes ? Ce n'est toujours bien pas moi qui ai mis au point le stratagème des centaines de fausses lettres d'admirateurs déçus qui demandaient à Sylvie de se retirer de toute urgence.

— J'obéissais à tes vœux. Tu l'oublies peut-être. Et c'est moi qui l'ai ramassée à la petite cuillère pour lui offrir le poste qu'elle occupe à l'heure actuelle. En plus, tu n'as même pas eu de remords à te faire torcher par elle depuis tout ce temps.

— Fais attention à ce que tu dis, mesure tes mots. Puis, cesse de me perturber. Sylvie, justement, m'a dit que mon spectacle était éblouissant. Tu as compris ? Alors, ta langue sale de vipère, je ne veux plus l'entendre.

— Calme-toi ! Je passerai plus tard pour être sûr que tout se déroule bien, ajouta Mario Ricard avant de raccrocher.

Roxane sanglotait. Lui revint alors un souvenir d'enfance qui se surimposait à l'image du jeune chanteur à la voix d'or, Martin Bulle, en train de tailler une pipe à son imprésario. Comme par enchantement, l'odeur de la paille lui monta au nez. Elle avait sept ou huit ans, et son jeune voisin, deux années de plus peut-être. Il s'appelait Fabrice. Il avait déjà maintes fois accepté de jouer à la marelle avec elle ; il lui avait montré avec patience un jeu de société où elle se mouvait en montant des échelles soit courtes, soit longues, ou bien dégringolait sur le dos glissant de serpents multicolores. De plus, il lui avait souvent fait de jolis compliments, sur ses cheveux presque blonds, qui bouclaient, étincelants sous le soleil de juillet, sur ses grands yeux de poupée dans lesquels il aimait se refléter, sur ses lèvres charnues, roses comme la langue de son veau préféré. Roxane, ou plutôt Manon Boisvert de son vrai nom, exis-

tait dans son regard. Elle s'y sentait aimée.
Cette fillette n'avait pas eu, pour la rassasier,
l'amour d'un père. Celui-ci avait péri alors
qu'elle n'avait que trois mois, bêtement, dans
un accident de la route. Un fardier chargé de
billes de bois avait subitement quitté sa voie,
le routier à son bord s'étant vraisemblable-
ment endormi, pour entrer en collision avec
la Chevrolet de monsieur Benoît Boisvert, le
père de la petite Manon. Il n'y avait eu que
des malheureux dans cette triste histoire.
D'abord, le conducteur du véhicule lourd,
un orphelin de Duplessis, était mort sur le
coup lui aussi. Des poursuites contre la compagnie de transport à laquelle appartenait le
gros camion semblaient hasardeuses et de
toute manière trop dispendieuses. Henriette Boisvert avait sur les bras deux enfants :
Manon et son frère, un jeune garçon de quatre
ans plus âgé que la petite, que l'on allait bientôt surnommer, à l'école du village, Jacquot-
la-Terreur à cause de sa promptitude à s'emporter. Qu'importe ! Henriette était depuis
longtemps insatisfaite dans son corps de
femme négligée. Son mari avait toujours été
pressé ; semaine après semaine, il ne faisait
que passer, coincé qu'il était, affirmait-il, entre
deux chargements à livrer. Comme si la maison familiale n'était qu'un pied-à-terre hy-
giénique où il pouvait, pour se donner bonne
conscience, dire quelques mots gentils à ses

enfants, lesquels sonnaient passablement creux aux oreilles d'une mère le moindrement attentive. Un pied-à-terre bien commode où, surtout, il pouvait déverser en elle, Henriette la magnifique, son trop-plein de semence avant de plonger dans un profond sommeil ponctué de ronflements gargantuesques. Et le plus souvent, il était soûl et puait la bière fermentée. Dans les circonstances et compte tenu qu'Henriette n'avait à son compte qu'une faible scolarité, il ne restait plus à cette femme désemparée qu'une seule ressource sur laquelle elle pouvait sur-le-champ compter : sa beauté. Enfin, il y en avait une autre qui se révélerait une planche de salut : ses beaux-parents, qui demeuraient à l'étage supérieur. Elle devint barmaid, enfin heureuse d'être rémunérée pour son labeur, dans l'une des deux tavernes de son charmant village de Labelle, bourgade de bûcherons, d'ouvriers, de petits commerçants et d'assistés sociaux, se déployant, pittoresque, au creux d'une vallée des Laurentides. Dans la fumée et la pénombre, dans l'odeur de la résine de pin associée à celle plus âcre de la sueur du jour, mélange qui imprégnait les chemises à carreaux, elle s'appliquait à servir du mieux qu'elle pouvait sa clientèle lubrique. Les remerciements qu'elle recevait revêtaient une forme rustique, voire vulgaire. De peur de perdre son emploi, elle s'habitua tant bien que mal aux compliments facétieux de ces ivrognes, de ces gamins vieillis qui étaient légion, et pour qui le fait d'avoir une bouteille de bière entre les mains faisait d'eux, apparemment, de vrais hommes. Peu à peu, elle se lassa de remettre à leur place tous ces mâles qui bavaient de l'écume, qui la reluquait de ces yeux où flottait une lubricité que la pudeur assoupie par l'alcool laissait librement s'épanouir. Sous la protection que lui jurait son gérant, elle accepta finalement de se taper un client de temps à autre. Elle surmontait son dégoût en s'imaginant dans les bras de Rock Hudson ou de Richard Burton. Surtout, elle conservait 80% de ses honoraires. Elle bossait pour assurer de brillantes études à ses deux enfants dont s'occupaient négligemment ses beaux-parents. Ceux-ci, usés par la vie, auraient de loin préféré vivre leurs derniers jours sans devoir se préoccuper du sort de deux marmots qui leur rappelaient sans cesse la mort de leur fils. Aussi leur prodiguaient-ils plutôt froidement leurs soins, négligeant caresses et sourire, s'irritant aux moindres caprices. Manon, en particulier, souffrait de cette situation, d'autant plus que sa mère, lessivée par un dur labeur, ne lui accordait plus, malgré tout son amour, qu'une attention distraite. Voilà pourquoi celle qui deviendrait bien plus tard la reine incontestée de la chanson pop s'était laissée séduire par son voisin, qui la menaçait de ne plus être son ami si elle ne se pliait pas à ce qu'il réclamait goulûment. Chez lui, sur le domaine familial, il l'avait entraînée dans la grange, à une centaine de mètres de la maison et là, debout sur une botte de paille, il avait baissé son jean et alors avait apparu son pénis bleuté et rigide. À ce moment-là, Manon avait été désorientée, mais surtout étonnée. Elle avait déjà vu le zizi de son frère alors qu'il prenait son bain, mais celui de Fabrice était tellement plus foncé ! Elle fut prise alors d'une fascination que sa peur d'enfreindre une loi divine ne parvint pas à réprimer. « Ouvre ta bouche et suce-moi ! » ordonna Fabrice. Manon s'exécuta. Elle découvrait avec stupeur le goût fabuleux de la chair qui, pour toujours, hanterait ses fantasmes secrets. Fabrice était trop jeune pour éjaculer. Il mimait sans doute ce qu'il avait vu accomplir par ses parents ou son grand frère et sa copine. Il demanda à Manon de descendre sa petite culotte. Elle esquissa un non de désarroi. « N'oublie pas ! enchaîna Fabrice en fin futé qu'il était, tu n'as d'autres amis que moi, alors laisse-moi te caresser. » « Mais peut-être que ce n'est pas bien, que Dieu va se fâcher. » « Si tu préfères rester seule tout le temps, c'est comme tu veux. » Alors Manon offrit son sexe pour la première fois à une main masculine. Fabrice lui caressa la vulve, y glissa un doigt fureteur. Elle était médusée, réceptive et tremblante aux nouvelles sensations qui l'ébranlaient en même temps que terrorisée par l'œil que Dieu jetait assurément sur elle. Qu'allait-elle devenir ? À l'école, sœur Saint-Arsène l'avait déjà intriguée en déblatérant sur le péché capital que constituait la fornication, péché qui résultait d'attouchements illicites des parties intimes de notre corps. Le manège sordide et délicieux de Fabrice se répéta maintes fois. Un jour où Jacquot-la-Terreur cherchait partout sa petite sœur, parce que l'heure du dîner était venue, il la surprit à genoux devant Fabrice, l'honorant avec ferveur d'une fellation. Il fut médusé et le jeune jouisseur, interloqué. Ce dernier se retira aussitôt de la bouche de Manon. Jacquot-la-Terreur l'avisa de ne plus jamais soumettre sa sœur à une telle infamie. Fabrice, connaissant la réputation de bagarreur de son interlocuteur, retenait son souffle dans l'espoir de ne pas être réduit en charpie. Étrangement, peut-être à cause de son sexe bleu qui émergeait de la braguette de son jean, de la pudeur naturelle de Jacquot, il s'épargna une raclée qu'il méritait pourtant. Manon était soulagée, délivrée et demandait pardon à Dieu cent fois par jour. D'autant plus que cette amitié rompue lui manquait viscéralement. Elle s'en voulait horriblement de ressentir, à l'encontre de toute bienséance, un tel regret. Sa sexualité de fillette, d'adolescente et de femme resterait à jamais marquée par cette aventure dont l'intensité dramatique n'allait se répéter qu'une seule fois, dans les bras de Pietro Brindisi, son amant des meilleurs jours. Pietro avait d'ailleurs un physique similaire à celui de Fabrice. Il avait des cheveux noir charbon très bouclés, des yeux d'un bel azur, profonds à s'y noyer. C'était un Italien d'origine vénitienne d'une beauté redoutable, au sourire ravageur, un mâle dont la voix voluptueuse et veloutée charmait irrésistiblement. Il lui avait apporté le feu de la passion et la joie de vivre.

3

Dans la *Salle des Spectacles* encore vide, la sonnerie du portable de Roxane retentit de nouveau. Il était quatorze heures vingt-cinq. John Mulclair, son pianiste, lui annonçait qu'il ne pouvait être à l'ultime répétition à cause d'un ridicule accident de voiture. Il avait néanmoins pris soin de téléphoner à un autre pianiste, lequel arriverait sou peu. Il s'ingénia à calmer les craintes de Roxane et l'assura que son suppléant serait à la hauteur, que ce dernier ne passait que pour la répétition. Roxane soupira. Il réussit à la tranquilliser en lui jurant qu'il serait sans faute à son poste le soir même pour son fabuleux spectacle. Roxane ne voulait ni se fâcher ni s'emporter. Malgré sa fébrilité, elle tint, en l'occurrence, des propos modérés. Elle devait se montrer forte, ne rien compromettre. Ce contretemps lui semblait cependant de mauvais augure. Elle fixa la salle sans yeux pour l'admirer, sans mains pour l'applaudir, sans voix pour lui crier de frémissants bravos, sans glandes lacrymales pour verser ces cristaux liquides que l'émotion esthétique entraînait dans son

tourbillon. « Je triompherai », balbutia-t-elle.
Elle entendit des pas, se retourna. C'était Sylvie, dont elle aurait aimé éviter le regard après
son entretien avec Mario Ricard. Elle ne comprenait toutefois pas son malaise ; elle s'en
voulait pour ce désagrément tout à fait superflu. Depuis longtemps, elle était parvenue plutôt bien à terrasser ses remords, à les
chasser dans le grenier des souvenirs inutiles,
elle qui croyait que le destin lui devait un peu
de bonheur après lui avoir arraché en 1979,
après seulement trois années d'un bonheur
sans nuages, son Dieu d'amour et de passion,
Pietro Brindisi. Elle se souvenait trop clairement de cette chanson de Sylvie Boisjoli qui
l'avait si agitée qu'elle en était devenue folle
de rage, cette chanson de mauvais goût qui
avait du jour au lendemain supplanté son
succès de l'heure. Elle se rappelait ces paroles
grotesques :

Baisse la banquette et prends-moi, là
N'attends pas que le désir s'efface
J'ai renié ma pudeur et ma foi
Tu peux me regarder en pleine face
Je veux voir tes yeux quand tu jouiras.

Ces vulgarités avaient pulvérisé tous les
records de vente. La chanson de la flamboyante Roxane ne méritait pas une telle humiliation. Elle avait été écrite par Delanoix,
ce grand parolier que tout le monde s'arra-
chait. Elle était si poétique :

Le mois de mai est propice aux émois
N'aie pas peur, vilain, approche-toi
Ensemble nous ferons neiger en juillet
Et nous embraserons les pôles frisquets.

Roxane ne pouvait que répliquer sur-le-champ. Après la déconfiture de Sylvie, habilement planifiée, elle avait accepté d'elle un secours sans la moindre hésitation. Mais si elle avait retiré au commencement un secret plaisir de la soumission de celle qui avait naguère été son impudente rivale, elle éprouva ensuite une pitié contenue pour cette femme dont la carrière avait inexorablement été anéantie et dont la gentillesse la rabaissait à ses yeux au simple rang d'animal de compagnie. En effet, Sylvie suivait Roxane en tournée comme l'eût fait un mignon chien de poche. Elle s'était agrippée à l'emploi que lui avait offert Mario Ricard comme à une bouée de sauvetage qu'elle n'osait plus lâcher. Elle avait au fil du temps, malgré le caractère peu sympathique de Roxane, développé une réelle affection pour cette vedette désormais déclinante dont elle épousait les espérances et les craintes. Quand le regard de Roxane croisa celui de Sylvie, Roxane fut envahie d'une terreur soudaine. Un échec, fut-il improbable, voire quasi impossible, la conduirait sans doute à n'être plus qu'une loque humaine comme cette si serviable Sylvie qui s'alimentait à sa vie, vampire aux accents angéliques qui périrait dans son sillage. Plutôt mourir que de subir un tel échec ! L'humiliation entraînerait sans l'ombre d'un doute une douleur insoutenable. Il n'en était pas question. « Je triompherai », pensa-t-elle. Elle entendit alors la voix tendre, douce comme du miel, de Sylvie Boisjoli.

— Que puis-je faire pour vous, Roxane ?

— John ne viendra pas à la répétition. Un suppléant doit arriver d'une minute à l'autre. As-tu spécifié à l'éclairagiste qu'il devait diriger un faisceau de lumière sur mon cocktail ?

— *Il Fuoco dell'amore*, je n'ai jamais entendu un si beau nom de cocktail.

— Je ne te raconterai pas son histoire, tu l'as lue dans les magazines ou les journaux à potins. Je suis sans cesse poursuivie par une horde de paparazzis déchaînés.

— C'était quand la dernière fois où vous avez fait une page couverture ? demanda Sylvie, plus volubile que jamais.

— L'été dernier, à mon chalet du lac Labelle. Ils m'ont photographiée seins nus. Ça fait vendre leur torchon.

— L'été dernier, c'est plutôt loin, non ?

Roxane rageait. Elle lui aurait arraché les yeux si elle n'avait pas eu si besoin d'elle. Qu'est-ce qui lui prenait tout à coup ? Un silence court mais d'une lourdeur écrasante s'installa.

— Je m'excuse, Roxane. J'ai été déplacée. Je le regrette.

— Ça va. N'en fais pas tout un plat ! Comment les paparazzis auraient-ils pu me poursuivre, puisque j'ai passé une bonne partie de l'année en Europe pour me ressourcer et préparer mon nouveau spectacle ? Va plutôt me verser mon *Fuoco dell'amore*.

— Il ne reste plus de jus de canneberge.

Comme Roxane, sous l'effet d'une tension débordante, s'apprêtait à houspiller son accessoiriste et régisseuse pour rien de moins que négligence criminelle, un bruit de pas pressés changea le cours des événements. Il s'agissait du pianiste suppléant qui arrivait enfin. Ne voulant pas paraître antipathique aux yeux de son accompagnateur, Roxane retint son dépit et sa frustration, et crut bon de faire contre mauvaise fortune bon cœur. La poisse ne pouvait tout de même pas s'acharner indéfiniment sur elle. Il fallait résister à la pression, ne pas craquer, ne pas agir de manière à confirmer son image médiatique de femme cassante, voire hargneuse ou même hystérique.

— Sylvie, j'ai besoin de toi maintenant pour la répétition, mais je tiens à ce que tu ailles absolument acheter le jus de canneberge quand nous en aurons terminé cet après-midi. Tu m'as bien comprise ? Tu n'oublieras pas ? (Espèce de conne, pensa-t-elle.) Achète aussi des oranges sanguines si ce n'est déjà fait.

— Je n'y manquerai pas. Je m'excuse. Je ne voulais pas vous déplaire.

— Apporte-moi tout de même un verre d'eau dans l'immédiat pour que l'éclairagiste puisse vérifier si son projecteur sera bien dirigé sur mon cocktail ce soir. Un concierge ou je ne sais qui a pu légèrement déplacer le piano depuis la dernière séance de travail.

Sylvie esquissa un sourire de soumission. Elle n'en parut que plus niaise aux yeux de Roxane dont le métier artistique exigeait une vigilance de tous les instants, un souci du moindre détail. Une chanteuse ne pouvait pas devenir une star en se fiant uniquement à sa bonne fortune. Mais pourquoi, au fond, broyer du noir quand elle désirait ardemment l'harmonie, la paix intérieure, ne serait-ce qu'en mémoire de Pietro Brindisi et des années de bonheur qu'il lui avait apportées ? Comment une ratée comme Sylvie pouvait comprendre toute la symbolique rattachée à son cocktail fétiche ? Pietro Brindisi, l'amant tragiquement disparu, avait inventé pour elle seule ce fameux cocktail. Elle le buvait en mémoire de lui et de son bonheur perdu. Elle croyait surtout que son ex-amant, de là-haut, tournerait son attention vers elle et la protégerait comme il l'avait si bien fait jadis. Le souvenir de Pietro la hantait. Il avait vingt-deux ans de plus qu'elle, mais il était si beau, et surtout si viril avec ses cheveux abondants bien placés, ses favoris, son teint basané en permanence, ses yeux bleus d'une pureté cristalline, pareils à ceux de son tortionnaire d'enfance Fabrice Quintal.

4

Pietro avait eu une fille qui avait fréquenté, comme Manon Boisvert, le cégep de Sainte-Thérèse, cet ancien séminaire aux pierres grises et austères, à la piété évaporée, que les fantômes du clergé semblaient avoir abandonné. Entre ses vieux murs, les nuées de cannabis consumé s'étaient substituées au parfum de l'encens. Les revendeurs de drogue y brassaient à n'en pas douter des affaires d'or. Cependant, leur baratin promotionnel sur leurs substances magiques ne charmait nullement Manon, dont la veine contestataire ou rebelle se repaissait d'une drogue d'une tout autre nature. Manon ne vivait que pour chanter. D'abord, elle avait été entraînée, de sa voix sublime, à louanger Dieu à l'église de son village natal. Elle n'avait pas réclamé au départ cet honneur, car, même enfant, ses espérances étaient bien ailleurs. Toutefois, la religieuse responsable de la chorale l'avait entendue chanter lors d'une récréation. La frêle Manon refusait obstinément de jouer au ballon chasseur, jeu qui consistait à atteindre un membre de l'équipe adverse grâce à un ballon lancé énergiquement. Elle expliquait qu'elle préférait la chanson. Elle se retirait ainsi du brouhaha des joueurs. Elle se plaçait à l'ombre d'un grand orme et chantonnait avec une grâce angélique. Elle s'assurait de cette façon de ne plus être molestée en se mesurant en pure perte à des enfants gorgés d'agressivité. La dernière fois qu'elle avait cru pouvoir s'amuser en participant au jeu, elle avait reçu le ballon en plein sur le nez. Elle se rappelait qu'elle avait vu son sang gicler. Puis le vide, elle s'était évanouie à la vue de ce fluide rouge qui s'échappait d'elle.

Sœur Sainte-Cécile avait une oreille musicale ; un talent ne lui filait jamais entre les doigts. Nulle église ne pouvait rêver d'une meilleure recruteuse. Elle avait entendu Manon qui répétait nonchalamment une chanson de Renée Martel alors très en vogue et dont les paroles contenaient déjà l'espoir d'un destin hors du commun : *Je vais à Londres, je voudrais faire du cinéma*, racontait-elle. L'action de sœur Sainte-Cécile auprès de Manon avait été double. Elle n'avait pas seulement mis en valeur une voix absolument remarquable, qui jetait en pâmoison les fidèles venus assister aux messes dominicales, elle avait, croyait-elle, remis sur le droit chemin une âme égarée. Car rêver de devenir actrice, n'était-ce pas là bien coupable ? Ce rêve n'appelait-il pas le risque de se vautrer dans

plus d'un péché capital : l'orgueil, la luxu-
re, l'envie, la gourmandise, la colère ? Seulement à y penser, sœur Sainte-Cécile en était
toute troublée. Le soin que mit Manon à apprendre les chants de la liturgie romaine, la
justesse de ton qu'elle parvenait à atteindre,
en insufflant aux modulations de sa voix une
émotion vive toujours contenue par un souci
admirable de dignité, firent croire que son
esprit était hors de danger. Bien des années
plus tard, éprise de musique, sœur Sainte-
Cécile, qui ne pouvait s'empêcher de regarder en cachette l'émission *Jeunesse déchaînée*, fut complètement renversée de voir sa
Manon, devenue Roxane, dans une robe légère dévoilant ses genoux et sa poitrine bien
ronde, s'agitant le popotin, se déhanchant
enfin de façon nettement provocatrice, qui
lançait, telle une mécréante dévergondée :
« *C'est dimanche, allons à la plage. Ma vocation
à moi, c'est le plaisir. J'ai refermé mon livre
d'images. Ma religion, je la trouve dans tes bras,
libre sous le soleil* ». L'année suivante, signe
des temps, le couvent de sœur Sainte-Cécile, alors déserté, fut vendu au médecin du
village qui le transforma en une vaste cli-
nique dotée d'une pharmacie moderne. La
Révolution tranquille avait entraîné dans son
sillon le déclin inéluctable de la religion catholique. Une bonne part des nonnes qui
étaient encore jeunes dans les années soixan-

te devait abandonner le voile ; les autres allaient vieillir ensemble, dans une indifférence presque générale, à l'intérieur des murs d'une maison de retraite située à Montréal, chemin de la Côte-des-Neiges, bien loin des montagnes arrondies qui embrassaient le petit village de Labelle jadis si pieux.

Pietro Brindisi avait découvert Manon et lui avait fait changer de nom. Il avait été non seulement son premier imprésario, mais aussi son premier et son dernier grand amour. En allant voir sa propre fille, qui allait jouer une ballade de Chopin au piano, il fut complètement électrisé par la prestation de Manon Boisvert. Déjà, en la voyant, il avait ressenti son sang s'échauffer, il s'était raidi sur son siège, pris d'un désir animal impossible à refouler. Sa femme, alors à ses côtés, remarqua ce geste involontaire. Modèle de la femme au foyer s'il en fut, cette épouse grassouillette, aux yeux et aux cheveux d'un noir profond, était le type commun de l'Italienne de bonne famille, une amie d'enfance avec laquelle Pietro avait consenti à convoler en justes noces pour plaire à ses parents, qui l'avaient trop souvent vu fréquenter des filles aux mœurs plutôt suspectes. Pour ce spectacle de fin d'études collégiales, Manon s'était mise pimpante ou, pour mieux dire, désirable. Ce n'était pas la première fois qu'elle participait à un spectacle de fin d'année. Elle avait vécu cette expérience enivrante l'année précédente et à chaque fin d'année du secondaire. Elle était par ailleurs déjà rompue à l'art du spectacle : elle avait chanté lors de mariages, de baptêmes, de funérailles et de foires agricoles. Elle espérait néanmoins d'autres scènes où elle serait admirée, acclamée ouvertement sans l'interférence d'une cérémonie religieuse quelconque ou de meuglements franchement discordants ; où elle serait enfin embellie par le regard caressant d'une foule venue la voir elle. Elle portait une robe de tulle blanche, sans manches. Ses cheveux montés en volutes ravissantes dégageaient son cou délicat. Ses fines sandales de cuir doré à talons un peu hauts l'obligeaient à se cabrer de sorte que le galbe de ses mollets ressortait tout comme celui de sa poitrine bien ferme. Ce soir-là, elle se risqua à chanter les paroles que Pierre Bachelet avait écrites pour le film érotique de l'heure, *Emmanuelle*. Quand elle chanta langoureusement *Mélodie d'amour chante le cœur d'Emmanuel qui bat cœur à corps perdu*, un coup de sang saisit viscéralement Pietro. Il avait jusque-là été volage, jouant dans le bar de l'hôtel familial les Casanova, puis il était devenu affreusement sérieux en épousant Giuliana, la fille d'un ami de son père. Il n'avait jamais ressenti ce qui le bouleversait si profondément alors qu'il écoutait cette cégépienne roucouler sa chanson, un envoûtement si doux et en même temps si violent. C'est à ce moment qu'il comprit l'entière signification de l'expression *coup de foudre*. Il ne savait pas le poids que prenaient certaines paroles de la chanson dans le cœur de la future Roxane quand il entendit dans les vapeurs brûlantes de sa passion naissante : *déçue, tu es encore presque une enfant, tu n'as connu qu'un seul amant*. Il ne soupçonnait pas tout ce que cela voulait dire pour Manon Boisvert. Mais dès lors, Pietro savait à coup sûr qu'elle deviendrait sa protégée et sa maîtresse, qu'il ne pouvait en être autrement. À la fin du spectacle, il fit part à Giuliana de son enthousiasme pour cette petite Manon au talent indéniable. Il fallait absolument qu'il s'en occupât avant que quelqu'un d'autre saisît cette chance à sa place. Il était certain que son flair, ce soir-là, ne le trompait pas. Il n'avait pas tort, mais il s'agissait d'une rengaine que Giuliana avait trop entendue. « Ce talent, je suppose que tu le veux surtout en position horizontale ! » Il la rassura du mieux qu'il pouvait. Elle se sentait incapable de nier que Manon présentait une occasion d'affaires intéressante, mais les ondulations sulfureuses de la voix chaude de cette chanteuse l'alarmaient spontanément. Pietro appela un taxi. Giuliana, dépitée tout comme sa fille, qui n'avait reçu de son père que quelques mots timides de félicitations, se résigna à laisser son mari faire son travail d'imprésario. Quand Pietro se présenta dans la loge de Manon, celle-ci était encore tout enivrée des applaudissements et des bravos qui avaient retenti dans l'enceinte de l'amphithéâtre. Le mot *imprésario* combla Manon, la remplit d'une joie extrême. Il lui semblait vivre un conte de fée. Avant même que Pietro ne pensât à mettre à profit son baratin de séducteur, elle lui avait succombé. Il était franchement très bel homme, il ne faisait pas son âge. D'ailleurs, la question de la différence d'âge n'était pas un instant venue à l'esprit de Manon, subjuguée par celui qui la délivrerait du destin prosaïque et banal d'institutrice. Il lui prédit un brillant avenir. Il ferait d'elle la nouvelle coqueluche des jeunes. Elle devait cependant renoncer à ce prénom de Manon qui faisait trop commun. Il suggéra « Roxane ». Manon, qui avait déjà perdu la tête pour ce prince charmant qui lui promettait un avenir souriant, consentit à perdre également son prénom. Une nouvelle vedette allait naître : Roxane. Il fit appel aux paroliers en vogue, aux compositeurs qui allaient tailler sur mesure pour sa protégée des mélodies accrocheuses qui rappelaient par certains côtés celles qu'avait déjà écrites Françoise Hardy. Pietro mit un zèle continu à mousser son produit. Roxane passait à la télé, dans les radios, faisait la première page des journaux à potins.

On voulait tout savoir sur elle : ce qu'elle mangeait, ce qu'elle lisait, comment elle choisissait ses vêtements, ce qu'elle cuisinait. Quand on l'interrogeait sur sa vie sentimentale, alors même qu'elle vivait une lune de miel épicée avec Pietro, elle se retranchait derrière un angélisme coquin en imitant la moue gracieuse de sœur Sainte-Cécile quand cette dernière voulait plaire aux enfants. Elle disait simplement : « L'amour, c'est sérieux. C'est sûrement très beau, mais je n'en suis pas là. Je suis trop jeune pour aimer. Je préfère m'amuser, avoir des amis et surtout, chanter ». Comme elle paraissait habile, la jolie Roxane ! Et comme elle faisait rêver plus d'un jeune homme qui espérait posséder une pareille femme ! Mais la plupart lui aurait demandé d'abandonner sa carrière pour se consacrer à leur personne. Et Roxane n'aurait plus été Roxane, la star de tous les fantasmes.

Un soir de fatigue, alors qu'elle était sur le point de terminer une longue tournée grâce à laquelle elle avait pu sillonner tout le Québec et accentuer davantage la popularité quasi instantanée dont elle avait déjà bénéficié, popularité peu singulière que même Pietro dans son for intérieur n'avait pas crue possible, elle fut comme rassasiée de gloire. Elle se demandait si la vie qu'elle faisait était la bonne. Pietro, inquiet de voir sa flamme artistique s'amenuiser, essaya de lui remonter le moral. L'épuisement seul était responsable de cet égarement. Dans le bar de son père dont il allait bientôt hériter, il prépara le *Fuoco dell'amore*, le cocktail qui devait célébrer leur conquête du Québec : Campari, gin, jus de canneberge, quartier incisé de sanguine, quelques glaçons. Le tour était joué. Pietro annula quelques concerts pour que Roxane pût se reposer. Elle alimenta de nouveau les manchettes des journaux à potins. Giuliana, la femme de Pietro, aux désirs jamais assouvis, commençait à piaffer d'impatience. Les journalistes avaient frappé à sa porte pour savoir où Roxane et son imprésario se cachaient. Elle n'allait pas trahir son mari, pas encore. Elle répondit qu'ils n'étaient partis que pour quelques jours se détendre dans une île des Caraïbes. Elle en profita pour parler de sa fille qui interprétait magnifiquement Chopin. Aucun journal n'en glissa quelque mot que ce fût. Giuliana rageait du manque de discernement de ces journalistes, tous des admirateurs abrutis de Roxane. Sous le soleil de Saint-Martin, le feu de l'amour scintillait. Comme son cocktail, qui aurait dû, en ce 23 mai 2003, occuper la place de ce simple verre d'eau à la droite de son piano tout blanc face auquel le pianiste suppléant venait de s'asseoir.

5

Ce musicien à l'air sérieux s'était simplement présenté, il s'appelait Jacques Fontana. Il était mince, avait des doigts effilés.
Le blond cendré de ses cheveux sans reflets
ainsi que le teint mat de sa peau légèrement
verdâtre donnaient dès le départ une mauvaise impression. Cet homme semblait en
effet éteint. Roxane lui donna des partitions
qu'il devait déchiffrer sur-le-champ. L'effort
qu'il y mettait fut interprété comme un signe
d'incompétence par la chanteuse tourmentée. La répétition fut tumultueuse et éprou-
vante autant pour le pianiste que pour Roxane. Soit qu'il allait trop vite ou pas assez, soit
qu'il échouait à insuffler à la mélodie l'émotion recherchée ; Jacques Fontana, malgré
toute sa bonne volonté, ne parvenait pas à
donner satisfaction à sa capricieuse cliente.
Ce fut tout en sueur et en se disant que jamais plus il n'accompagnerait cette ringarde frustrée qu'il quitta précipitamment les
lieux. Il était seize heures. Roxane était littéralement lessivée par l'épreuve de la répétition finale. Que fallait-il faire ? Se laisser

abattre ? Elle n'avait pas travaillé des mois à monter son spectacle pour aboutir à un fiasco. Prenant la parole, Sylvie la tira de sa torpeur.

— Ce soir, ça ira mieux. John Mulclair vous connaît. Il saura bien enrober votre voix.

— La musique n'est pas du chocolat, répliqua machinalement Roxane.

— Vous savez bien ce que je voulais dire, vos chansons seront plus belles si le musicien sait mettre en valeur ce que vous chantez. Reposez-vous ! Moi, je me dépêche de sortir afin d'acheter ce qui manque pour ce soir.

— N'oublie rien ! enchaîna Roxane dont la voix trahissait un vif sentiment d'inquiétude.

— Ne vous tracassez pas inutilement.

Sylvie disparut de la scène. L'enthousiasme frénétique de la matinée s'était estompé et avait laissé place à une perplexité paralysante. Roxane resta figée un long moment, les yeux grands ouverts, le regard perdu. Puis, cette femme, bien peu pratiquante, se rappela qu'il y avait là-haut, assis sur un nuage blanc, le Créateur de toute chose, tout-puissant grâce à sa nature divine. Dans son enfance, elle avait craint Dieu, car il avait le pouvoir d'envoyer chacun de ses enfants au fourneau de l'Enfer éternel. Fillette soumise au désir de Fabrice Quintal, qui avait prétendu être son seul ami, elle se souvenait encore à quel point elle avait été torturée intérieurement, puis plongée littéralement dans un état de panique le jour où toute sa classe avait été conduite à l'église du village pour faire la queue devant le confessionnal d'un Monsieur le Curé pieusement recueilli dans l'expectative d'une ribambelle de péchés véniels. Dans sa soutane noire, le vieil homme intimidait les enfants malgré sa voix douce. C'était qu'il était bien grand et donnait l'impression d'un homme ayant dissimulé des échasses sous sa robe qui se déployait telles les ailes d'un corbeau charognard. Roxane avait immédiatement confessé, d'une voix hésitante, un péché très grave. Et stoïque, elle était prête à se soumettre à la colère de Dieu. Mais Monsieur le Curé ne s'emportait pas. Il restait calme et voulait tout savoir. Combien de fois elle avait commis le péché d'impureté ? Avec qui ? Où ? Et la question la plus difficile à laquelle elle avait dû répondre : « Qu'avez-vous fait exactement ? » Un silence s'était installé. Elle tremblait de honte. « J'ai mis dans ma bouche son sexe », avait-elle finit par dire. Mais le curé ne s'arrêta pas de si bon chemin et poursuivit sa quête de vérité. « Et après, qu'avez-vous fait ? » « Il m'a demandé de le sucer, puis il a bougé sa queue dans ma bouche », marmonna Manon. « Et il est sorti quelque chose de son sexe ? » demanda alors le curé inquisiteur, qui tendait l'oreille pour tout saisir. « Non, rien », répondit Manon, prise de court par cette question étrange. Elle entendit, au travers du petit grillage de bois tressé qui la séparait de son juge, un soupir d'insatisfaction, comme si elle avait menti. Monsieur le Curé continua à la questionner pour savoir si elle n'avait pas participé à autre chose, notamment avec des personnes plus grandes, mais la réponse fut négative. C'est alors qu'il expédia sa pénitence malgré la vive protestation de Manon, qui affirmait n'avoir pas révélé tous ses péchés. Rien ne pouvait être plus grave que le péché de la chair et sa pénitence serait suffisante pour la blanchir aux yeux de l'Éternel de tout ce qu'elle aurait pu faire. Il la condamna à une dizaine de chemins de croix et lui ordonna de ne plus se souiller, de ne plus se déshonorer ainsi aux yeux de l'Éternel. Elle quitta le confessionnal avec le désir de se plier de bon cœur au vœu de celui qui se présentait comme le guide spirituel de tous, ni plus ni moins qu'un représentant de Dieu sur terre. Elle commença à prier en parcourant du regard les étapes de la passion du Christ mises en relief dans des moulages de plâtre colorés avec soin. Les autres élèves se succédèrent dans l'antre du confessionnel à un rythme alarmant. Craignant de ne pas pouvoir compléter sa punition, Manon enchaînait ses *Notre père* et ses *Je vous salue Marie* à une vitesse infernale ; malgré ses efforts, elle était loin du compte quand elle fut interpellée par sœur Sainte-Catherine, qui déjà avait rassemblé autour d'elle son troupeau d'élèves. Elle s'obstina alors à prier jusqu'à ce que la religieuse vînt la chercher pour la contraindre à rejoindre son groupe de troisième année. Elle était non seulement honteuse, mais absolument certaine d'être condamnée aux flammes éternelles, n'ayant pas réussi à compléter sa pénitence et s'étant par ailleurs emmêlée dans le décompte de ses prières. C'est ainsi que, passant de la honte à la rage, elle développa au fil des années une haine sourde pour cette religion catholique qui fabriquait à la chaîne ses damnés. Au moment où Roxane jouait sa carrière, un seul Dieu lui restait. Elle se mit à genoux sur l'immense scène de la *Salle des Spectacles*, se courba le dos, puis releva timidement la tête vers le plafond à travers lequel, sans doute, son amant perdu la regardait. Elle lui adressa cette supplication : « Pietro, toi qui de là-haut me regardes, daigne m'accorder ton soutien. Pardonne mes fautes passées. Si je t'ai déplu, c'était sans le vouloir. Donne-moi la force de rebondir et de redevenir la préférée des Québécois, je t'en conjure, ne me laisse pas tomber. Éclaire-moi de ta lumière et ne me laisse pas succomber à la tentation du Médiocre. Ainsi soit-il, mon trésor ! » Ces paroles de dévotion emplirent Roxane d'une nouvelle sérénité. Sa confiance en Pietro la protégeait du trac qui pouvait mettre en péril l'excellence de sa prestation imminente. Elle regagna la chambrette expressément aménagée pour elle, contiguë à sa loge et dotée d'une petite salle de bains. Là, elle se déshabilla et entra sous la douche. Bientôt un jet d'eau très chaude la dorlota. Elle se purifiait, la sueur collante qui l'incommodait se détachait de sa peau. Elle se caressa tendrement les seins. Les yeux fermés, elle revoyait Pietro lui faisant l'amour. Elle sentait ses mains chaudes descendre sur ses hanches et sa langue glisser sur ses mamelons ravis. Elle porta une main à son ventre, la glissa vers le bas, franchit sa toison couleur de loutre. Elle mania son clitoris grâce à son majeur droit, effectuant un mouvement giratoire insistant. Par moments, elle se pénétrait. Elle rappelait alors à son bon souvenir le membre viril de Pietro qui la secouait et l'irriguait d'une extase qui lui parcourait tout le corps et s'amplifiait jusqu'à l'embrasement ultime. Roxane jouissait et soupirait d'aise sous le jet purificateur de la douche. Elle se sentait enfin détendue. Elle s'assécha, revêtit un joli peignoir taillé dans une soie d'un bleu ciel très tendre, enjolivée de fines broderies florales. Elle s'étendit sur sa couchette et s'abandonna aux bras de Morphée, se riant de ses infidélités. Dans son esprit alangui lui revint le visage de son vieux fiancé, un homme à la chevelure drue mais parsemée de mèches blanches et dont l'âge incertain ne lui importait guère. Il était antiquaire et possédait une boutique sise rue Sherbrooke à proximité du Musée des beaux-arts de Montréal. C'était là qu'elle l'avait rencontré, à son retour d'Europe, il y avait à peine trois mois, en quête d'un coffret à bijoux où elle voulait ranger cette broche garnie de perles tournoyant autour d'un rubis octogonal dont la valeur douteuse s'effaçait derrière une valeur sentimentale inestimable. Sa mère la lui avait offerte après son premier concert professionnel, pendant lequel elle s'était illustrée au point d'être consacrée, à la une des journaux, découverte de l'année. Elle s'était déchaînée, puis dénudé l'âme devant un jeune public enthousiaste dans une boîte de nuit désormais disparue. Madame Boisvert mère, après avoir appris la préparation de ce premier spectacle, avait au moins doublé le nombre de ses clients à la taverne de Labelle où elle tapinait. Elle voulait laisser à sa fille un souvenir impérissable et s'arrangea pour rassembler la somme nécessaire. En offrant à Manon cette broche qui lui avait demandé quelques compromissions déshonorantes, elle lui avait dit : « Ne la quitte jamais, elle te portera bonheur ». Ce geste avait profondément touché Roxane. Au point qu'elle ne chanta plus sans ce talisman merveilleux où était serti l'amour maternel auquel elle avait à peine cru jusque-là. Elle avait montré ce joyau à Bertrand Bellavance, antiquaire de grande renommée, et avait sollicité ses conseils sur un coffret où pût reposer son porte-bonheur, car sa boîte à bijoux lui avait échappé des mains et s'était fracassée contre le sol. Monsieur Bellavance était ravi d'admirer de près, encore plus que la broche estimée, la chanteuse qui avait ensoleillé sa jeunesse et dont il avait suivi la carrière avec assiduité. Il avait assisté à toutes ses premières. Roxane fut d'autant plus flattée qu'il avait pour elle un présent sublime : une bijoutière chinoise très ancienne en écailles de tortue, ornée de pivoines nacrées tout à fait exquises. Ce trésor lui appartenait si elle acceptait un dîner avec lui. Elle consentit. Il ferma la boutique et l'emmena au Ritz Carlton. Sa gentillesse, son empressement à lui plaire et la sécurité financière qu'il laissait miroiter formaient un tout fort séduisant. Elle succomba commodément à ses charmes. Toutefois, cet amour plutôt prosaïque ne pouvait la combler. Roxane avait besoin d'émotions plus vives. Elle ne parvenait pas à s'assagir. Monsieur Bellavance pouvait s'inquiéter. Il s'était enflammé en touchant la main de

Roxane comme si sa jeunesse avait soudain réapparu. Il était enchanté et n'eût jamais cru que Roxane eût cédé si prestement à ses avances. Sa passion désormais l'agitait sans cesse, au point de devenir une hantise. Un jour, il s'alarma encore davantage, car *Le Journal des Stars* avait fait sa page 25 de Roxane et d'un mystérieux cavalier tout vêtu de noir. Ils avaient été vus ensemble dans un espace vert de Westmount. L'article s'intitulait *Deux tourtereaux sur un banc public*. Le texte ne révélait rien. Ne s'y étalaient que des questions sans réponses. La photo qui illustrait le mince propos était floue et semblait l'œuvre d'un paparazzi amateur. Roxane n'appréciait guère la jalousie, qu'elle fût justifiée ou pas. Mais elle savait aussi veiller à ses intérêts. Quoiqu'elle fût fort importunée par l'interrogatoire empressé de Bertrand sur ce mystérieux bellâtre qui l'accompagnait au jardin public, elle crut un peu naïvement qu'elle l'avait résolument apaisé en acceptant sa demande inopinée en mariage. Ainsi, à l'angoisse d'être trompé succédait un désir urgent de possession. Elle répondit *oui* à son antiquaire dont la passion paraissait si franche, mais elle s'engageait à condition qu'il la laissât poursuivre sa carrière, car jamais elle ne pourrait renoncer à la chanson malgré les sentiments tendres qu'elle éprouvait pour lui. Quant au jeune homme aperçu avec elle, c'était simplement un prêtre à qui elle avait voulu confier le trouble où la jetait une relation avec un magnifique antiquaire follement amoureux d'elle. Était-il bien raisonnable pour une femme d'âge mûr de perdre la tête comme l'eût fait une jeune adolescente toute tremblante à la naissance de son premier amour ? Son antiquaire semblait soûlé à souhait des vapeurs enivrantes de ses mensonges savamment distillés. Toutefois, Roxane ne mentait pas à ses propres yeux : elle se contentait de jouer des rôles sur la grande scène de la vie afin de récolter des applaudissements bienfaisants, ou encore d'attraper au vol quelques fleurs d'amour surgissant des cœurs conquis et soumis. Elle se nourrissait de l'admiration de tous comme un vampire l'eût fait de sang frais, c'est-à-dire sans se soucier outre mesure de ses victimes. Elle appréciait, en l'occurrence, chez Bertrand, une délicatesse qu'elle avait rarement rencontrée. Et, attention non négligeable, il avait été pudique avec elle en ne lui ayant pas parlé de son fils Dany. Celui-ci la tourmentait et c'était elle qui finalement s'était confiée à son fiancé un soir de déprime.

6

Comme la plupart des gens qui suivaient la carrière de Roxane, Bertrand avait regardé avec intérêt cette incroyable émission de télé animée par Régine La Futaie, *Retrouvailles en direct*, où un jeune homme qui venait d'avoir vingt-quatre ans racontait son histoire. Il était le fils illégitime de Roxane, né en mars 1976, le dernier d'une longue liste de bébés laissés sur le parvis de l'église du village de Labelle, village dont la renommée en cette espèce de procédé médiéval n'était plus à établir. Labelle avait même été baptisé par un journaliste local *la pouponnière de Dieu*. Un billet anonyme accompagnait l'enfant. On réclamait qu'il fût adopté par une bonne famille de la municipalité. Il avait été choisi par un couple austère, dans le village même où sa jeune mère avait pris congé du cégep de Sainte-Thérèse pour lui donner naissance sous les auspices d'une sage-femme discrète et bien payée pour l'être. C'était une femme au visage dur, presque carré, de laquelle on ne s'approchait guère, dont le nom à consonance polonaise rebutait. Il se trouvait qu'elle habitait la maison voisine de ces nouveaux parents sévères à qui l'on avait confié la garde du bambin, parents dont la stérilité n'était pas que physique. Au fil des années, elle avait développé à l'égard du petit Dany une affection profonde. Il s'appliquait à lui rendre service, lui plantait ses fleurs au printemps, tondait sa pelouse à l'occasion, déneigeait son entrée l'hiver en échange de quoi elle lui lisait des histoires merveilleuses, l'emmenait parfois avec elle au cinéma et lui révélait même le secret de ses potions et poisons. C'était elle qui en réalité l'avait aimé le plus, c'était elle qui s'était toujours inquiétée pour ses résultats scolaires, c'était elle qui n'hésitait pas à prendre sa défense.

Un jour, au moment où l'école primaire fermait ses portes et qu'il retournait chez lui, Dany fut poursuivi par une meute d'écoliers frustrés qui lui lançaient de la pierraille en lui criant : « Le chouchou de la maîtresse est une mauviette ». Madame Kovalski arrivait en sens inverse. Elle fut prise d'une rage intempestive. Elle houspilla, comme jamais elle n'aurait osé auparavant, cette horde d'enfants envieux, voire haineux, et les traita d'affreux diables. Ils rirent, mais se ravisèrent quand ils commencèrent à recevoir des cailloux à leur tour. Ce ne fut qu'à ce moment-là qu'ils comprirent le mal qu'ils avaient infligé à leur victime et qu'ils rebroussèrent chemin afin de se mettre à l'abri de celle qu'ils allaient ensuite nommer familièrement la *catapulte*. Pour se venger, ils répandirent la rumeur qu'elle était en réalité la mère de Dany, car qui pouvait, à part cette sorcière, laquelle fabriquait toutes sortes de potions étranges, abandonner lâchement son nouveau-né ? En prenant sa défense, madame Kovalski s'était, bien entendu, trahie. Cela expliquait naturellement pourquoi Dany se retrouvait toujours chez elle. Les parents adoptifs, ébranlés par la rumeur, sommèrent leur encombrante voisine d'éclaircir la situation. Elle jura qu'elle n'était pas la mère de Dany. Celui-ci fut déçu. Comble d'injustice, ses parents adoptifs lui ordonnèrent d'éviter sa présumée mère comme la peste. C'était une mauvaise fréquentation qui ne mènerait à rien, prétendaient-ils. Néanmoins, l'enfant jadis recueilli et la sorcière du village étaient déjà trop liés pour ne pas se revoir à la moindre occasion. Frappée d'interdit, leur affection ne fit que s'accroître, d'autant plus qu'ils étaient tous deux des parias : elle pour ses services médicaux illicites auxquels pourtant un si grand nombre de villageois avaient recours en catimini ; lui à cause de son langage précieux et de ses manières trop gracieuses pour ne pas être associées immédiatement à celles d'une femme. Dany fut condamné pour ce qu'il était avant même qu'il ne prît conscience de son homosexualité. Madame Kovalski fut la première à qui il l'avoua. Elle l'avait alors pris dans ses bras et lui avait dit : « Tu seras toujours mon Dany chéri ». Celui-ci quitta très tôt son village pour la ville, où il trouva un emploi comme vendeur de vêtements dans une friperie. Mais bientôt, il façonna ces fringues d'occasion pour leur donner une seconde vie et il acquit une certaine notoriété en son domaine. Ce fut cependant comme travesti qu'il fit fureur. Il devenait alors Raquel Walsh, la femme fatale du quartier gay. Il était loyal et maintenait toujours un contact téléphonique avec madame Kovalski ; il se confiait à elle. Elle l'écoutait sans jamais le juger. Un jour, elle lui apprit qu'elle souffrait d'une maladie incurable et qu'elle n'en avait plus pour très longtemps. Il s'était rendu la voir, était resté auprès d'elle une semaine. Il avait surmonté sa peur de la mort, car il n'avait jamais réellement aimé que cette dame qui n'avait que lui, à qui il avait souvent envoyé des montants d'argent par reconnaissance, par amour, pour qu'elle ne fût pas dans le besoin. Elle était sur le point d'expirer, alors une envie folle, irrépressible, s'empara de son esprit : il voulait savoir qui étaient ses parents biologiques. Le secret professionnel que madame Kovalski avait tenu à respecter jusquelà perdit toute son importance le jour venu de sa dernière heure. Dany parvint habilement à se servir de l'amour le plus grand qu'il eût ressenti de toute sa vie pour soutirer un renseignement auquel la fin prochaine de sa mère spirituelle donnait soudainement une extrême importance. Celle-ci lui apprit, ne craignant plus rien de la vie, que sa mère biologique était Manon Boisvert, devenue par la suite nulle autre que Roxane. Elle demanda que cette révélation fût gardée secrète. Quant à son père, elle n'en connaissait pas l'identité. Au départ, l'intention de Dany avait été de respecter le vœu ultime de madame Kovalski, mais elle allait lui pardonner sans l'ombre d'un doute son désir insurmontable de rencontrer enfin celle qui l'avait porté en son sein. Aussi, s'il avait réclamé de passer à l'émission *Retrouvailles en direct*, c'était pour que sa situation identitaire, éclaircie définitivement, le portât vers une nouvelle existence publique. Il n'en pouvait plus de vivre retranché derrière des origines floues ; il entendait renaître au sein de la société dans une nouvelle lumière, en s'appuyant enfin sur sa vraie famille. Il espérait comme bienfait collatéral non négligeable une reconnaissance en tant qu'artiste de variétés, car sur scène, contrairement aux autres travestis, qui ne faisaient que semblant de chanter, lui, il envoûtait son public de sa voix granuleuse et sensuelle à souhait. Il était temps qu'on ne le prît plus pour un simple figurant. Chamboulé par la disparition de celle qui avait toujours été sa confidente, il s'était, par désenchantement, mis à l'héroïne. Le désespoir, le stress, des fréquentations douteuses expliquaient peut-être la tangente qu'un temps il emprunta. Peu importe, il devint dépendant de sa poudre blanche sans s'en rendre compte tout à fait. Du moins, il peinait à se l'avouer. Il ne se remettait pas de savoir que la seule femme qu'il eût jamais aimée, madame Kovalski, n'avait pas trouvé le moyen de se guérir après avoir soigné et réchappé tant de Labellois ingrats. Quoi qu'il en fût, après avoir perdu celle qui, aimante, l'avait adopté en esprit, il sentit le besoin d'établir un lien puissant autant qu'utile avec sa mère de sang. Roxane, qui ne pouvait décemment s'esquiver, s'était présentée à l'émission de La Futaie, le cœur chargé d'émotions contradictoires. Elle simula au mieux le plaisir de revoir un fils dont elle avait en abomination le mode de vie. Elle présenta le spectacle d'une mère repentante, ayant été obligée, à un âge où sa vie ne faisait que commencer, d'abandonner son enfant. Elle s'était résignée, la mort dans l'âme, à une vieille coutume locale qui l'autorisait à laisser le bébé devant les portes de l'église, en offrande. Naturellement, elle l'avait abandonné dans son bien le plus strict, en sachant qu'il serait élevé par une bonne famille de son village. Monsieur le Curé ne pouvait pas manquer d'y veiller, avait-elle sincèrement cru. Roxane n'épargna nullement le téléspectateur et l'exposa sans retenue à des effusions grandiloquentes, à des sanglots longs et à des reniflements sonores auxquels Dany répondit par un jeu aussi crédible que possible. Une nouvelle vie commençait pour ceux qui avaient le bonheur de se retrouver sur le plateau de La Futaie, laquelle se prêtait cependant pour la première fois au jeu dangereux de retrouvailles scénarisées dans une optique résolument commerciale. La Futaie, mal à l'aise en l'occurrence, avait consenti à recevoir Dany sur ordre de ses supérieurs dont le but non voilé était de faire exploser l'audimat. Ce pari fut gagné. Quant à Roxane, elle se servit de son passage à l'émission de La Futaie comme d'un levier. Elle accentua sa présence dans les médias et annonça à son auditoire qu'elle franchissait une étape cruciale dans la préparation d'un nouveau spectacle tout à fait novateur. Roxane restait Roxane, mais nouvelle et améliorée, comme tous les détersifs à lessive depuis des décennies. Quant à Dany, qui se percevait comme le dindon de la farce, il se sentait justifié dans ses réclamations auprès de sa mère. Il l'obligerait ainsi à ne pas l'abandonner une seconde fois. Dans ses prétentions, il assurait que ses spectacles réclamaient des tenues toujours renouvelées et plus exubérantes, que sa carrière ne prendrait son envol que grâce au soutien généreux de sa maman chérie. Il avait délaissé la couture et entendait bien se consacrer entièrement à sa vie d'artiste. Comme sa mère, il était animé par une quête d'amour et de reconnaissance, mais il avait emprunté un courant houleux et garni d'écueils où la drogue, euphorisante, avait pris l'allure d'une sirène au chant irrésistible. Heureusement qu'il y avait Garcia, son compagnon d'infortune, qui le soutenait dans son combat pour la tempérance.

7

À peine quinze minute de sommeil et la sieste de Roxane fut interrompue par la visite inopinée de son fils. Dany avait les yeux maquillés exactement comme au moment des retrouvailles à la télé. Roxane, extirpée d'un engourdissement de ses facultés mentales, n'éprouvait que frustration et dégoût. Une vive discussion s'ensuivit. Au point où la maquilleuse arrivée sur place, s'alarmant du tumulte qu'elle entendait, avisa un agent de sécurité. Cet homme baraqué éprouvait pour Roxane une admiration sans borne. Il intervint promptement pour chasser sans ménagement Dany. Ce salopard n'était pas digne de sa mère. Il utilisait bassement son lien de parenté pour foutre le bordel. Comment osait-il perturber ainsi Roxane le jour même où elle se préparait à renouer avec son public ? Quel connard, cette tantouze à perruque !

Il était seize heures cinquante quand le téléphone tinta de nouveau. Roxane répondit. C'était Bertrand. Il lui annonçait son passage imminent à sa loge, car il tenait à lui souhaiter le mot de Cambronne de vive voix.

« D'accord chéri, je t'attends », répondit-elle, s'astreignant à des minauderies qui lui répugnaient. Quand elle eut désactivé son portable, elle grommela malgré elle : « Quelle saloperie, la vie ! » Nathalie Chagnon, la maquilleuse, distingua fort bien ces paroles et s'en étonna. Elle était cependant trop discrète pour aller jusqu'à poser des questions. Elle pensait que de toute façon elle finirait par tout savoir. Avec Roxane, un secret ne pouvait durer toujours.

— Nathalie ! Au moins toi, tu arrives à l'heure. Je crois qu'on va retarder un peu le maquillage. Il n'en sera que plus frais. Imagine, mon fiancé tient à me voir avant le spectacle. Commande du chinois. Du poulet au citron, des légumes sautés, du riz collant pour quatre personnes.

— Très bien.

— Tiens, ajoute un plat de calmars frits, mon Bertrand adore ces bestioles.

— Moi, je trouve ça dégueulasse. Mais bon, les goûts ne sont pas à discuter, il paraît.

— Mais, ma petite, il faut s'ouvrir l'esprit.

Presque aussitôt, Sylvie apparut dans l'embrasure de la porte, souriante. Ayant réussi à accomplir ses courses rapidement et surtout n'ayant rien oublié, elle était fière d'elle.

— J'ai mis au frigo le jus de canneberge et les sanguines.

— Et le gin ? l'interrogea Roxane.

— Il en restait encore pas mal.

— Je m'excuse d'être nerveuse et inquiète, mais il me semble que mon étoile ne brille pas très fort aujourd'hui.

Sylvie voulut la rassurer.

— Ne vous en faites pas, John Mulclair sera bientôt là.

— S'il n'y avait que ça, dit tout bas Nathalie.

— Que peut-il y avoir d'autre ? demanda Sylvie.

Comme Roxane gardait le silence, perdue dans ses pensées, Nathalie expliqua la visite inopportune de Dany, la dispute qu'elle avait entendue. Le fils réclamait encore de l'argent. Roxane fut tirée de son apparente absence en s'apercevant qu'on parlait de son fils.

— Je vous interdis de parler de ce qui ne vous regarde pas. Contentez-vous de me seconder dans ma dure tâche d'artiste !

— Oui, Roxane, dirent ensemble Nathalie et Sylvie, en prenant des airs de bonnes filles.

Après un moment de silence, Nathalie tint à informer Sylvie de l'arrivée imminente de monsieur Bertrand Bellavance, qui allait venir partager avec elles quelques inventions de la cuisine chinoise. Déjà, Roxane s'était allongée sur son lit de camp, en quête d'un repos dont elle se sentait cruellement privée, espérant quelques minutes d'un assoupissement salutaire. La fatigue aidant, elle fut bientôt engourdie dans la torpeur d'un demi-sommeil ; elle ne percevait plus que des voix étiolées, porteuses de paroles dont le sens s'embrumait. Comme elle était sur le point de s'engouffrer dans une léthargie profonde, une voix grave et puissante la secoua. C'était celle, tonitruante, qui caractérisait la manière de s'exprimer de Georges, un des gardiens de sécurité, récemment engagé. Un serrement au cœur l'extirpa de son amollissement général ; ses muscles se contractèrent comme pour se préparer à l'affrontement d'une menace immédiate. Le gardien répéta sa présentation.

— Un homme demande à vous voir. Il s'agit d'un prêtre dont vous avez réclamé, semble-t-il, la présence. Il devrait arriver sous peu. Il est allé porter quelque chose dans votre loge.

— Je n'ai demandé personne, non, ce n'est pas possible !

— Le voilà.

C'est alors que, bousculant le gardien de sécurité, un homme fort séduisant et portant le col romain se pointa. Ses yeux verts pétillaient.

— Roxane ! lança-t-il nerveusement, tu ne peux pas me larguer. Je suis l'homme de ta vie. C'est ce Bellavance gâteux que tu dois laisser tomber. Il ne cherche qu'à s'approprier un peu de ta célébrité pour faire rouler ses affaires. Moi, Rémi Fichu, je suis à toi, je t'appartiens. Je t'en conjure, reviens sur ta décision. Je prendrai soin de toi. Tu es ma déesse. Je t'aime, répétait-il.

— Mettez-moi ce cinglé à la porte au plus vite, cria Roxane, toute tremblante, envahie d'un désarroi effrayant. C'est un imposteur, un fou.

Sylvie et Nathalie regardaient la scène improbable qui se déroulait devant leurs yeux, ne sachant nullement comment l'interpréter. Rémi Fichu était maintenant à genoux, suppliant Roxane de ne pas le renier. Il ne pourrait pas survivre à une telle humiliation. Il s'arracherait la vie si elle persistait dans cette voie. Pendant ce temps, le gardien tentait en vain de le raisonner en lui demandant de quitter les lieux. Comprenant que l'usage de la force s'imposait, il réclama du renfort sur son portable afin de procéder à l'éviction d'un intrus. Il se tenait prêt à agir si l'homme s'avisait d'approcher davantage Roxane, qui se tenait assise, renfoncée dans son lit, collée contre un mur qu'elle ne pouvait pas repousser. Alors que deux autres gardiens arrivaient, Rémi se leva et se dirigea vers Roxane. On se jeta sur lui pour le maîtriser. On réussit à l'entraîner hors du boudoir improvisé de Roxane. On faisait fi de ses protestations.

— Vous ne comprenez pas, disait-il, c'est moi le véritable amoureux de Roxane. Laissez-moi, je vous en prie, laissez-moi !

Sa voix se perdit dans le lointain, au grand soulagement de la chanteuse, fortement éprouvée, qui luttait pour ne pas flancher. Roxane exhorta sa régisseuse et sa maquilleuse, toutes deux interloquées, à oublier ce dont elles avaient été témoins. Elle leur expliqua qu'il ne fallait rien répéter à son fiancé qui devait arriver d'une minute à l'autre et qui s'inquiéterait mortellement pour elle s'il apprenait qu'un mythomane la menaçait de son délire obsessionnel. Sylvie et Nathalie, désemparées, acquiescèrent d'un hochement de tête contraint.

— Prenez une douche, suggéra Sylvie, ça vous détendra.

— C'est bon, dit simplement Roxane, dont la docilité se mêlait à un abattement rarement observé.

Soudain, elle se ravisa et se dirigea vers sa loge. Qu'y avait laissé Rémi Fichu ? Sur sa table de maquillage, un écrin noir attira vivement son attention. Elle s'en approcha, fébrile, et l'ouvrit avec appréhension. Un anneau d'or scintilla, sur lequel était gravé

Roxane, je t'aime et à l'intérieur duquel se lisait le nom de son harceleur, *Rémi Fichu*. Elle referma le petit boîtier, ouvrit un tiroir et l'y plaça tout au fond. Du coin de l'œil, Nathalie, qui avait observé la scène, feignit d'arriver sur-le-champ.

— Et alors, madame, pas de bombe ou de lettre de menace ?

— Non, rien du tout. Ce n'était qu'une mauvaise farce. Il faut oublier cette effroyable irruption.

Roxane se leva pour aller se doucher. À l'abri des regards, dans son isoloir vaporeux, des larmes se fondirent aux gouttelettes d'eau tièdes dont ses joues étaient aspergées. Elle se sentait comprimée par les événements comme du raisin que l'on presse pour en extraire tout le jus. Comment avait-elle pu se mettre dans un tel pétrin ? Elle réglerait les problèmes un à un, tout s'arrangerait. Elle devait se concentrer sur ce qu'elle accomplirait ; elle ne devait pas oublier qu'elle offrirait une prestation artistique de premier ordre, qu'elle en sortirait grandie. Il fallait vaincre tous les obstacles qui entravaient sa marche vers cette apothéose que constituerait, dans sa carrière, ce nouveau spectacle dans lequel elle avait mis le meilleur d'elle-même.

8

Quand Roxane émergea de la salle de bains, les mets chinois avaient déjà été livrés. Et comme pour ne lui laisser aucun répit, Bertrand Bellavance s'engouffra dans son champ de vision, comme un Polichinelle bondissant d'une boîte à surprise à peine ouverte, poussé par un ressort invisible auquel le nom de destinée implacable convenait trop bien. Fallait-il en rire ou en pleurer ? Au moins, celui-là avait eu la décence de s'annoncer. Ne deviendrait-il pas son mari, ne serait-il pas son bâton de vieillesse ? Elle opta pour un accueil modérément enthousiaste, esquissant le sourire d'une femme ravie d'entrevoir son amant quoique le moment s'y prêtât mal, car elle devait, en principe, se préparer mentalement à optimiser ses chances de succès. Bertrand Bellavance, en complet bleu marine, portait une gerbe de roses rouges absolument magnifiques.

— Ces fleurs sont pour ma future femme !

— Elles sont d'une splendeur inouïe, quelle gentillesse !

— Non ! C'est de l'amour.

Bertrand parcourait la pièce d'un regard scrutateur.

— N'y a-t-il pas un vase où je pourrais les y déposer ?

— Dans la loge de madame, répondit aussitôt Sylvie.

— Alors, attendez-moi, je reviens tout de suite.

Bertrand se dirigea vers la loge, s'occupa des roses. Un temps s'écoula. Derrière lui apparut Nathalie tenant à la main un pichet.

— Ces jolies fleurs ont besoin d'eau, dit-elle. Elle poursuivit, sur un ton badin : Ah ! ces femmes artistes sont bien choyées. Il est malheureux qu'il y ait tant d'inconstance dans le milieu des vedettes.

— Qu'est-ce que cela signifie, jeune femme ?

— Jeune, monsieur me complimente. Ne vous souciez de rien ! Je disais ça machinalement, sans réfléchir.

— N'y aurait-il pas de la jalousie dans vos paroles ?

— Monsieur est très bien de sa personne et sûrement très fortuné, mais moi, je suis mariée à un homme excellent que j'aime comme au premier jour de notre rencontre et qui m'aime, je le crois, tout autant. Et comble de joie, j'ai trois beaux enfants. Je suis une femme comblée et je ne voudrais pas briser mon bonheur pour tout l'or du monde.

— Peut-être êtes-vous lucide. Dieu sait que l'amour est aveugle. Mais ne vous en faites pas pour moi et mêlez-vous de vos oignons, enchaîna soudainement Bertrand sur un ton plus sec.

Nathalie regretta sa tentative de mise en garde. Elle s'excusa et s'esquiva avec son pichet vidé. Bientôt, Bertrand Bellavance réapparut dans la chambrette de Roxane. Sur une petite table pliante étaient disposées les assiettes de carton que Sylvie avait déjà remplies de poulet au citron, de légumes et de riz. L'assiette de Bellavance regorgeait en outre de calmars frits.

— On mange avec nos doigts ? demanda-t-il narquoisement.

— Oh ! J'ai oublié les ustensiles, concéda Sylvie, qui répara aussitôt l'impair en distribuant des couteaux et des fourchettes de plastique.

Bertrand ainsi que Roxane affichaient un sourire et se regardaient comme des tourtereaux réellement amoureux. Nathalie et Sylvie ne livrèrent pas leurs impressions, toutefois, elles étaient toutes deux déconcertées : Nathalie, un brin naïve, par ce qu'elle avait vu un peu plus tôt et Sylvie, par ce qu'elle n'ignorait pas de la vie tumultueuse de Roxane. Pour elles, une seule conclusion s'imposait quant à l'attitude complaisante de Bellavance : l'aveuglement volontaire. Au commencement, les commensaux gardèrent le silence ; chacun semblait prendre plaisir à la dégustation de son repas express. Cependant, Bellavance rompit la glace. Il avait le verbe facile et prolifique quand il s'en donnait la peine. Il amena sur le tapis divers sujets d'actualité, de la légalisation des mariages gays à la grandeur du pays jusqu'à la libération à venir d'une scélérate dont les crimes soulevaient l'indignation générale. Chacune de ses interlocutrices s'étonnait de l'intérêt de Bellavance pour ce qui était si étranger à sa propre vie. Puis, la conversation roula sur le sort réservé dans certains pays aux femmes infidèles qu'on lapidait jusqu'à ce que mort s'ensuivît. Heureusement, Roxane avait fini son plat ; elle léchait ses doigts englués de sauce au citron, se morfondant, silencieuse et désemparée. Cependant, son fiancé n'était pas de ceux à faire persister un malaise.

— Mesdames, je sais que je vous importune et que vous devez vous démener en vue du spectacle de ce soir. J'y assisterai avec l'intérêt le plus grand qui soit. Je vous salue bien bas et vous laisse un « Merde ! » bien senti.

— C'était chic de ta part de venir nous soutenir, lui dit simplement Roxane sur un ton descendant, surmontant son trouble du mieux qu'elle pouvait, et avant de l'embrasser pudiquement.

Nathalie et Sylvie observèrent, perplexes, la scène d'un enlacement si peu passionné. Elles saluèrent, toutes deux, le fiancé de Roxane : la première, par courtoisie ; l'autre, par pitié. Il était dix-huit heures trente. Roxane demanda à Sylvie et Nathalie de l'attendre dans sa loge. Elle voulait se brosser les dents et faire une sieste d'environ quinze minutes avant la séance de maquillage et d'habillage. On obtempéra sans mot dire, se doutant bien que la journée avait été fort pénible pour Roxane dont la vie s'emmêlait tel un écheveau de laine entre les pattes d'un chaton agité. En se brossant les dents, elle eut un moment de dégoût vis-à-vis d'elle-même, abandonnant du coup la complaisance dont elle faisait habituellement preuve à son propre égard, ne percevant soudainement que son manque d'intégrité, sa hardiesse méprisante à vouloir déjouer le destin par un jeu de feintes continuel. Mais aussitôt qu'elle revoyait dans une rêverie spontanée le visage radieux et illuminé de passion de Pietro Brindisi, ses remords s'effaçaient. Pietro était l'alpha et l'oméga de son univers intime. Elle n'en avait jamais réellement fait le deuil. Elle se rappelait son regard langoureux scintillant de mille feux, le frémissement léger de ses narines quand il s'enflammait de désir pour elle, quand il voulait la posséder. C'était pour lui qu'elle entendait donner un nouveau souffle

71

à sa carrière. Dans son esprit, elle honorerait ainsi sa mémoire. Et sur l'autel de ce désir obsessif, elle sacrifiait sans ménagement, mais sans méchanceté excessive, croyait-elle, tous ses proches, réduits au rang d'instruments dont elle pouvait se servir pour être toujours digne de l'amour de Pietro. Étendue dans son modeste lit, elle se demandait s'il n'était pas temps de rejoindre Pietro où qu'il fût. Impérativement, il fallait repousser cette idée et se désembourber, rester forte malgré tout. Elle s'endormit en se répétant : « Pietro, sauve-moi ! » Sa sieste fut de courte durée. Quelques minutes plus tard, Sylvie vint la secouer un peu brusquement. Elle se réveilla.

9

Dix-huit heures cinquante, il était temps de passer à la loge. Roxane s'extirpa peu à peu de sa léthargie, respira profondément. Un sourire confiant égaya son visage. Le grand jeu commençait. Nathalie lui exécuta un maquillage qui allait la révéler sous son meilleur jour, dissimulant les cernes bleuâtres sous les yeux, colmatant les rides, accentuant la beauté naturelle de ses longs cils ; elle enlumina ses lèvres sous la tendreté rayonnante d'un bâton aux reflets dorés. *Le soleil ne s'éteint pas sous l'empire de Roxane*, clamait la publicité. Ce soir-là, elle serait reine, mieux, pharaonne luminescente par l'intercession du dieu solaire. Elle en mettrait plein la vue à ses fans. La broche que sa mère lui avait offerte lors de son premier spectacle professionnel ne jurerait pas avec l'ensemble des bijoux qu'elle avait minutieusement choisis, tous inspirés par la joaillerie de l'Égypte antique. Sur sa tête serait déposé un diadème. En son centre figurerait le dieu solaire Râ sous la protection duquel son spectacle s'épanouirait. Pietro ne manquerait pas d'y veiller.

Une photo de lui avait d'ailleurs été placée à l'intérieur d'un pendentif à battant dont la forme, bien entendu, était celle d'un soleil. Elle parcourut du regard le comptoir dressé devant elle et admira sa fine quincaillerie d'apparat qui, pour n'être que du toc, n'en brillait pas moins. Ce qui valait le plus, autant sentimentalement que pécuniairement, c'était la broche que sa mère lui avait offerte. Où était-elle ? Sa tête se mit à pivoter. Nathalie, qui lui couvrait le cou de fond de teint, lui signala qu'elle bougeait trop.

— Arrêtez tout ! s'exclama Roxane.

— Que se passe-t-il ? l'interrogea aussitôt Sylvie.

— Ma broche ! Elle n'est pas là. Il faut la trouver tout de suite. Sinon, j'annule le spectacle.

— Vous l'avez peut-être oubliée dans votre manteau, dit Sylvie.

— Pourtant, il me semble bien l'avoir déposée ici. Va voir !

Roxane allait se plaquer les mains à la figure, menaçant ainsi l'œuvre de Nathalie. Celle-ci s'empressa de l'en empêcher. Elle lui saisit les paluches, combinant énergie et délicatesse, et la supplia de ne pas bousiller son maquillage. Sa broche, on allait bien la retrouver. Roxane tentait péniblement de se maîtriser. Il lui vint à l'esprit que Dany l'avait peut-être subtilisée pour tout bêtement la revendre tellement il avait besoin d'argent pour se payer sa sale poudre blanche. Ou bien était-ce Rémi Fichu, impitoyable admirateur, dont l'appétit de collectionneur ne serait sans doute jamais rassasié ? Chose certaine, ce ne pouvait être Bertrand Bellavance, qui lui était si entièrement dévoué. Le bouquet de roses rouges qu'il lui avait apporté le lui rappelait, quoiqu'elle le vît à peine dans son énervement. Son agitation intérieure se manifestait par un affaissement de ses traits ainsi que par un tremblement incontrôlable de ses mains dont les ongles n'avaient pas encore été nettoyés et dorés. Nathalie, à la voir dans cet état, s'en alarmait.

— Ne vous inquiétez pas, tout s'arrangera, finit-elle par lui dire bien qu'elle ne fût sûre de rien.

— Je suis perdue !

— Mais non !

À ce moment précis, Sylvie surgit, tenant entre ses doigts la fameuse broche, talisman sans lequel Roxane n'eût pas hésité à annuler son spectacle. Personne n'eût pu croire qu'elle y tenait autant. Pourtant, sa tendance à la superstition était de notoriété publique. Mais ni Sylvie ni Nathalie ne soupçonnaient l'ampleur de sa dépendance aux souvenirs qui jalonnaient l'époque où elle rayonnait sans partage dans le royaume de la chanson populaire. Roxane poussa un soupir de soulagement quand elle revit sa broche. Elle était si émue que ses yeux se mouillèrent. Nathalie la prévint de faire attention, car il ne fallait pas nuire au maquillage. Roxane se ressaisit, elle allait bientôt triompher, c'était une certitude. Pietro serait fier d'elle. Elle avait le vent en poupe, rien ne l'arrêterait désormais. Au désespoir abyssal avait succédé un enthousiasme débordant.

C'est alors qu'une chose impensable se produisit. Hervé l'Œil envahit subitement la pièce avec toute son équipe de tournage de *Trac en direct*. Que faisait-il là, ce blanc-bec insignifiant qui tentait de lui arracher l'émission estivale qu'elle convoitait ? Avait-il pris des bains de soleil, ou avait-il subi l'effet d'émulsions autobronzantes ? Son hâle contrastait insolemment sous sa chemise blanche entrouverte. Ses cheveux châtains aux mèches dorées faisaient feu de tout bois. L'air railleur, il ouvrit la bouche et un étal de dents immaculées étincela.

— Nous sommes dans la loge de Roxane, annonça-t-il. La maquilleuse a fait un travail remarquable, comme vous pouvez le constater, mais Roxane ne semble pas à prendre avec des pincettes, dit en souriant Hervé l'Œil face à la caméra.

— Quelle belle surprise ! s'écria Roxane, simulant la détente et la joie de vivre. Vous

76

venez me faire un petit coucou avant mon entrée sur scène !

— On ne manque jamais un soir de première. Qu'avez-vous à dire à vos fans, qui vous connaissent depuis si longtemps et qui seront là dans moins d'une heure ?

— S'ils ne sont pas déjà en route, simplement : « Je vous aime ». Maintenant, excusez-moi, j'ai besoin qu'on me laisse seule, je dois m'habiller.

— Ne me dis pas que tu es toute nue sous ton peignoir ! Avant de partir, notre équipe a un petit présent pour toi !

Hervé l'Œil offrit un cadeau dont la forme était celle d'une bouteille.

— Roxane doit deviner ce que c'est !

— Du vin !

— Ça brûle ! Pour faire un cocktail inventé dans les années soixante-dix expressément pour Roxane !

— Du Campari ! lança Roxane, peinant à conserver son sourire, n'ayant qu'un seul désir : botter le cul du jeune prétentieux qui venait la relancer jusque dans sa loge et qui s'amusait impitoyablement à évoquer sa jeunesse enfuie.

— Bingo ! Maintenant que tu as ouvert notre modeste présent, on s'esquive. On ne voudrait pas compromettre le retour triomphal de Roxane.

Sylvie saisit la bouteille de Campari et l'ouvrit sous l'œil de la caméra qui s'éloignait. Quand l'équipe de *Trac en direct* fut suffisamment distante, Roxane éclata.

— Je vais le tuer, ce salaud ! Vous l'avez vu, mine de rien, me traiter de poupée défraîchie ? Il va me le payer, je le jure. Il ne sait pas de quoi je suis capable.

Puis, Roxane retint son souffle et se ressaisit.

— Je vais lui montrer qui je suis, dit-elle, vindicative, en relevant la tête. Allez, les filles, à l'œuvre !

Une dernière touche fut apportée au maquillage. Roxane, avec l'aide de Sylvie, enfila sa robe rutilante de paillettes dorées. Nathalie tint à s'occuper des bijoux. Elle para somptueusement Roxane de magnifiques pendants d'oreilles : chacun d'eux, ancré à des cordelettes dorées, exhibait un scarabée en faux lapis-lazuli surmonté d'un disque de simili-cornaline. Chez les anciens Égyptiens, le scarabée symbolisait la renaissance. Il avait une fonction précise : celle de protéger. Le diadème, d'inspiration analogue, mettait en vedette le dieu Râ, lequel prenait la forme d'un homme à tête de faucon coiffé d'un disque solaire. Quand Nathalie eut terminé son œuvre d'embellissement, Roxane brillait de mille feux. Elle avait contribué à la naissance d'une bête de scène magnifique. Elle avait su admirablement réparer l'outrage des ans. À coup sûr, Cléopâtre eût trouvé en Roxane une rivale redoutable.

Sylvie, quant à elle, se consacra à la préparation du cocktail. Elle sortit du minifrigo une belle sanguine rougeoyante, puis les boissons requises. Elle versa dans un verre de cristal du Campari provenant d'une bouteille déjà entamée. Roxane avait insisté pour qu'on ne lui servît pas celui offert par Hervé l'Œil. Sylvie ajouta ensuite une portion de gin. Elle décortiqua la sanguine odorante, en dégagea un quartier cramoisi, l'incisa, puis l'immergea dans le mélange. Elle y versa ensuite le jus de canneberge. Juste la quantité qu'il fallait. La bouteille avait déjà été ouverte, elle n'était pas pleine.

— Il me semblait que tu avais acheté une nouvelle bouteille de jus cet après-midi, observa Roxane.

— C'est juste, confirma Sylvie, mais j'en ai bu en arrivant de mes courses, j'avais terriblement soif. Et quelqu'un d'autre a dû en boire aussi.

— Oui, moi ! avoua Nathalie.

La discussion s'arrêta là. Pas de temps à perdre. Il fallait poursuivre. Ne manquait plus que le Campari. Sylvie demanda à Nathalie de s'en occuper pendant qu'elle rangerait ce qui ne servait plus. Elle prit la bouteille de jus de canneberge pour la remettre au frigo, mais elle fit un faux-pas et tomba par terre avec cette satanée bouteille, qui lui échappa alors des mains. Le bouchon n'était pas bien vissé. Ce qui devait arriver arriva. Le jus se répandit partout. Roxane s'éloigna du dégât de peur d'être salie.

— Bon, je me contenterai aujourd'hui d'un seul *Fuoco dell'amore*. Je t'en supplie, nettoie tout ça ! et rapidement !

Quelle empotée ! les deux pieds dans la même bottine, pensait Roxane, et dire que ça voulait devenir star. Sylvie se confondit en excuses, se flagella en se traitant de bonne à rien, de gaffeuse de la pire espèce, d'idiote pure et simple. Tellement que Nathalie en fut peinée. Mais un soir de première, tous les comportements sont dérangés ou encore amplifiés à l'excès. Sylvie essaya de s'amender en faisant disparaître toute trace de son gâchis. Puis, elle rinça la bouteille de plastique qui contenait le jus de canneberge pour la déposer dans le bac de recyclage. Roxane, qui avait épousé la cause écologiste, veillait à ce que soit recyclé tout ce qui pouvait l'être. Sylvie ne le savait que trop bien. Nathalie venait tout juste d'ajouter au cocktail de madame le seul élément manquant : quelques glaçons pour maintenir froide la boisson sacrée qui flamboyait tel un crépuscule des Caraïbes. À ce moment précis, Roxane entendit le pianiste jouer quelques notes.

— John Mulclair est arrivé. Je suis sauvée, dit-elle spontanément.

— Faut pas diminuer votre talent, lança Nathalie pour mettre un baume sur un cœur maintes fois éprouvé en peu de temps.

Roxane lui répondit par un sourire de reconnaissance. Elle ne parlerait plus désormais avant d'apparaître sur scène. Elle tenait son cocktail à la main ; elle se sentait forte, prête à se donner à son public.

Vint l'instant du spectacle. Le rideau se leva. Des arpèges savamment déployés marquèrent l'arrivée de Roxane. Elle déposa son verre sur le bord du piano, se saisit de son microphone et offrit sans plus attendre une de ses nouvelles chansons. La mélodie était splendide ; l'assistance, conquise d'avance. Elle commença à chanter.

Le soleil, ce soir, embrase la lune
Je suis de miel, tu es ma fortune
Le jeu en vaut la chandelle
Donne-moi ton feu, j'aurai des ailes

La musique se poursuivait. Roxane prit son cocktail, en avala une pleine gorgée. Le verre fut soudainement projeté au sol et s'y fracassa.

10

Le public crut d'abord à une mise en scène, mais Roxane s'effondra. Le pianiste, désemparé, réclama la présence d'un médecin. Au moins trois se levèrent, mais on céda l'honneur à celui qui était le plus près de la scène. Quant à Sylvie, elle surgit des coulisses avec une serviette imbibée d'eau froide. Le médecin lui fit signe d'attendre. Il s'approcha, ausculta Roxane. Il demanda au pianiste de tenir en l'air les jambes de la chanteuse pendant qu'il essayait de la réanimer. En vain. Roxane était déjà morte et ne semblait pas vouloir se réveiller. Des rougeurs étaient apparues sur ses bras ; son visage et sa gorge s'étaient très brusquement enflés. Le diagnostic s'imposait de lui-même. Un choc anaphylactique d'une grande violence venait de terrasser Roxane. Le médecin regarda Sylvie et lui ordonna d'appeler ambulance et force policière.

Tous les fans de la vedette défunte savaient trop bien que Roxane avait ses ennemis, que la gloire suscite l'envie et que l'envie pouvait conduire aux pires dérives. Le

Dr Marcelin Houde avait rêvé jusque-là de toucher Roxane, mais dans des circonstances tout autres. Il contemplait la morte, alors que dans la salle un silence incrédule avait succédé aux murmures interrogatifs des admirateurs abasourdis. Mario Ricard, qui était déjà sur scène, alla vers le médecin. Impuissant, ce dernier haussa les épaules et hocha la tête pour signifier que tout espoir était perdu. Le producteur de Roxane s'avança au microphone et demanda à tous de retourner calmement à la maison en attendant de futurs développements. À quoi pensait-il ? Au remboursement inévitable des spectateurs ou à l'annonce officielle de la fin subite de Roxane ? Le public fit preuve d'un civisme hors du commun et quitta la salle dignement, alors que se rapprochaient le hurlement incisif de l'ambulance et les lumières tournoyantes des gyrophares. Dany, méconnaissable sous sa perruque bleu marine et son maquillage à la Garbo, hésitait à partir. Peut-être aurait-il convenu de s'agiter et de se rendre aux côtés de sa mère. Il restait irrésolu et ne bougeait pas de son siège. Quant au vieux fiancé de Roxane, il s'était finalement rendu sur scène, d'un pas lent, et feignait du mieux qu'il pouvait l'affliction de l'amoureux transi quoiqu'à son âge, il était préférable de ne pas trop en mettre afin d'éviter le ridicule. Il se sentait tout de même meurtri et fort frustré par la disparition de celle qui avait alimenté tant de fantasmes de jeunesse. Il avait peine à dissimuler les inquiétudes qui l'agitaient. Son regard quitta le cadavre de cette femme convoitée, contre laquelle il ne pouvait plus rien, et parcourut la salle presque vide. Il aperçut la tête bleue de Dany, il crut le reconnaître. Le coupable pouvait bien être ce travesti. Il souhaitait qu'il quittât la salle, mais il semblait totalement figé. Enfin, les ambulanciers arrivèrent, suivis de patrouilleurs, qui tendraient l'oreille à quelques témoignages. Entre-temps, Nathalie, comme habitée par des gestes machinaux, avait nettoyé la place pour que personne ne se blessât en marchant ou en tombant sur un tesson de verre. Ce fut du moins ce qu'elle affirma au policier qui s'adressa à elle et dont elle dut encaisser le reproche d'avoir embrouillé la scène du crime. Elle paraissait offensée. Il était dangereux de laisser traîner des morceaux de vitre au sol. Et pourquoi donc un crime ? D'où venait cette idée ? Il était vrai que Roxane avait quelques ennemis, mais Nathalie ne comprenait rien à ce qui se passait. Elle se mit à pleurer. Sylvie, toute proche, en fit tout autant. Roxane n'était plus. Que feraient-elles maintenant ? Elles sanglotaient et tremblaient. Au point où le médecin conseilla qu'elles fussent conduites à l'hôpital. Elles y seraient traitées pour choc nerveux. Toutefois, les patrouilleurs tenaient à poser d'abord leurs questions. Ce fut Nathalie qui en dit le plus malgré sa peine, comme pour montrer sa bonne foi et combattre les apparences qui, un instant, avaient semblé se tourner contre elle. Elle voulait annuler la mauvaise impression laissée par son nettoyage préventif ; aussi s'appliquait-elle à raconter dans le détail la journée passée auprès de Roxane. Dany, qui s'était finalement rendu sur scène, de peur d'éveiller quelque soupçon s'il partait, ne nia pas sa dispute avec sa mère ; mais il regrettait amèrement d'avoir bousculé celle qui lui avait donné le jour. Il était bouleversé, disait-il, par ce qui s'était déroulé sous ses yeux ; voir s'effondrer sa mère sur scène avait été une épreuve dont il ne se remettrait jamais. Il ajouta dans un élan calculé, ponctué d'exclamations théâtrales, qu'il fallait absolument que le coupable fût découvert et qu'il fût puni.

— Oh ! Si la peine de mort existait encore, mon désir de vengeance pourrait être assouvi, déclama-t-il sur un ton tragique.

Les patrouilleurs prirent des notes, encore et encore, mais ils comprenaient fort bien qu'ils ne résoudraient pas l'affaire eux-mêmes et qu'une enquête peut-être longue et fastidieuse serait nécessaire, car, sans rien présumer, ils se doutaient bien que la chanteuse avait été empoisonnée, du moins que sa dernière chute ne relevait pas d'une cause naturelle. L'affaire paraissait délicate. En outre, les journalistes ne manqueraient pas de s'en mêler. Il fallait être prudent. L'autopsie, tôt pratiquée, en raison de la célébrité de la victime, confirmerait la cause du décès : un choc anaphylactique. L'allergie très forte de Roxane aux framboises, de notoriété publique, pouvait en être la cause. La situation était cependant complexe. Une foule de gens avait eu accès à la loge de Roxane le jour de l'événement malheureux. Il fallait élucider le mystère.

11

Frédéric Paquin, sergent-détective de la section des homicides, terminait chez lui une semaine de congé bien mérité. Son milieu de vie domestique était loin de ressembler à celui, délabré, obscur et sale, que semblaient affectionner particulièrement les détectives des films américains. Au contraire, son condo du Plateau Mont-Royal était bien éclairé. Il était en outre d'une propreté exemplaire, car une femme de ménage y passait chaque semaine et s'activait alors à tout épousseter et à bien astiquer. L'espace mural de la salle de séjour était embelli de quelques tableaux modernes dont un de très grande dimension. Il se présentait dans un style qui rappelait celui du peintre espagnol Miró. Un somptueux téléviseur à écran plat trônait face au canapé de brocart rouge. Les murs jaune paille réchauffaient l'atmosphère. Le mobilier reflétait les goûts de l'occupant : une bibliothèque remplie de livres élégamment reliés ; deux étagères, aériennes, l'une pour les DVDs, l'autre pour les CDs, fixées au mur à environ 80 centimètres du sol. Dans la salle à manger d'un lilas léger qu'il n'appréciait guère, une touche tropicale retenait l'attention. Des masques africains rapportés d'un voyage en Côte-d'Ivoire avaient été accrochés au mur avec un souci d'harmonie, et un monticule de fruits frais occupait un magnifique plateau de verre déposé au centre de la table en teck. Chaque fois qu'il s'asseyait pour manger et qu'il voyait ses masques sculptés représentant peut-être des divinités qu'il ne connaissait pas, il sentait la chaleur d'un corps d'ébène l'enserrer. C'était en Côte-d'Ivoire que Frédéric avait fait l'amour pour la première fois avec un homme de couleur. Il s'en souviendrait toute sa vie. Il avait trouvé l'expérience exaltante. Mais l'emprise du désir lui avait alors fait oublier l'utilité du préservatif. Et l'angoisse avait succédé à la jouissance. Surtout qu'à son retour d'Afrique, il avait appris que son ami d'enfance, le seul qui lui restait encore de cette époque un peu lointaine, souffrait du sida. On avait beau parler de charité, d'humanisme ou de fraternité, les êtres en général semblaient obéir à un mystérieux instinct de survie qui les faisaient s'éloigner des malades. On se détournait de l'agonie ; assister à la mort de l'un, c'était aussi assister en différé à sa propre mort. Cependant, Frédéric n'abandonna pas son ami de toujours et l'accompagna jusqu'à son ultime instant de vie. Sans nullement l'avoir cherché, il fut récompensé en quelque sorte pour sa fidélité, car il fut le seul héritier de son ami Martin. Il habitait désormais son condo. Un mois après la mort de cet ami, il s'imposa un test sanguin qui lui révéla qu'il était séronégatif. Il remercia le Ciel, bien qu'il ne fût pas croyant. Un réflexe qu'il avait sans doute gardé de sa prime jeunesse. Dans son désarroi affectif, sa passion pour son métier l'avait tenu en vie, et ce temps inoubliable qu'il avait consacré à son ami d'enfance l'avait rendu sans doute meilleur, plus sensible en tout cas à la souffrance d'autrui. Si son désir homosexuel ne s'était pas éteint, du moins le tenait-il muselé. Il n'envisageait donc nullement une relation suivie à court terme. Ses escapades nocturnes se déroulaient sous le signe de la plus grande prudence, tellement, pensait-il, qu'on devait le trouver terne, voire ennuyeux. Au travail, il était reconnu pour sa bonne humeur, mais surtout pour son sérieux exemplaire en matière d'enquête criminelle. Il était l'un des rares détectives à ne pas jurer à la moindre émotion. Si on essayait de le blesser par des allusions déplacées, il répliquait du tac au tac, désarmant ainsi son adversaire. Il était de ceux qui croyaient que masculinité et homosexualité ne s'opposaient pas et c'était précisément ce que souvent les hétéros avaient de la difficulté ou même de la répugnance à admettre. Frédéric ne se laissait pas marcher sur les pieds, il commandait le respect. Il n'était satisfait de l'issue d'une investigation que lorsqu'elle se résolvait clairement. La quête de la vérité était ce qui l'animait. Ainsi avait-on pensé à lui pour mener l'enquête sur le meurtre présumé de Roxane. Alors qu'il venait d'ouvrir une boîte de nourriture pour chat aux fruits de mer et qu'il s'apprêtait à en servir le contenu à Clodie dont il sentait le flanc chaud et velouté lui caresser une cheville, le téléphone sonna. C'était Raoul Laplante, son supérieur hiérarchique, qui le sommait amicalement d'écourter son week-end afin de se consacrer à une traque qui promettait d'être passionnante. Il s'agissait d'élucider la mort sur scène, la veille, de la célèbre Roxane.

— J'ai entendu la nouvelle à la télé hier soir, se contenta de dire Frédéric.

— Si j'ai pensé à toi, c'est qu'il s'agit d'une enquête où il faudra avoir les nerfs solides face aux journalistes et, je te le dis franchement, mais que cela reste entre nous, comme tu es celui qui s'exprime avec le plus de facilité, tu pourras contribuer du même coup à donner dans les médias une image relevée de la police. Nous ne sommes pas que des mangeurs de beignes, qu'on se le tienne pour dit.

— Vous êtes très diplomate. Oui, c'est un défi qui m'intéresse.

— Alors, je t'attends vers dix heures. On fera le point sur le rapport des patrouilleurs. Je te laisse mener l'enquête à ta convenance. Tu dois tout de même m'informer de tes initiatives.

— Très bien, je serai là vers dix heures trente.

— J'ai dit, il me semble, dix heures.

— Je me lève. Je dois me laver, m'habiller et…

— C'est bon, trancha Raoul un peu contrarié, à plus tard.

Quand, répondant à l'appel du devoir, il voulut quitter son condo, il se retrouva inopinément en face d'une jeune femme radieuse qui allait justement frapper à sa porte.

— Oh ! s'exclama-t-elle, vous sortez ?

— Oui, je pars travailler. À qui ai-je l'honneur ?

— Je suis votre nouvelle voisine, Caroline.

— Vous avez besoin de sucre ? l'interrogea Frédéric, l'air narquois.

L'effronterie sans malice de Frédéric ne la rebuta nullement. Il n'en parut que plus charmant aux yeux de l'insolente courtisane. Elle le regardait, désarmée, plongée dans le gouffre enchanteur de ses yeux marron. Elle était troublée par l'harmonie éclatante de son visage ovale. Elle eut le réflexe de ne pas se fâcher. La seule envie qui l'agitait était celle de séduire. Spontanément, des images s'étaient superposées dans son imagination.

— Vous savez à qui vous ressemblez ?

— Oui, je sais, on me l'a dit tellement souvent, à Colin Farrell, mais je suis plus grand que lui.

Caroline était franchement dépitée de s'être fait couper l'herbe sous le pied, de n'avoir pas été la première à pénétrer du regard le beau ténébreux qu'elle avait déjà repéré depuis quelques jours. Quant à Frédéric, il avait bien deviné l'identité de celle qui échouait à le complimenter. Et pour cause, deux jours auparavant, sa vieille voisine, madame Daoust, l'avait accosté alors qu'il s'apprêtait à retrouver son nid de tranquillité. Elle lui avait décrit avec force détails une jeune fille qui l'avait interrogée sur lui précisément, en tous points le portrait de Caroline, mais elle avait oublié le prénom de celle-ci. Enfin, cette jouvencelle, bien malgré elle, aurait laissé transparaître un vif intérêt pour lui. Il ne fallait surtout pas négliger le fait qu'elle venait d'une bonne famille, qu'elle était gentille, attentionnée. Elle était même allée chercher des pastilles à la pharmacie pour madame Daoust. Il ne s'en faisait plus des comme elle, elle était sans pareille : bref, bonne à marier. Le plaidoyer dithyrambique de la voisine eût charmé n'importe quel hétéro. Frédéric pensait qu'il devait se hâter de la larguer. Le temps fuyait.

— J'aurais besoin d'un tournevis. Je voudrais fixer un cadre, expliqua-t-elle.

— Écoutez ! Je suis déjà en retard. Ne pourriez-vous pas revenir ce soir ?

C'est alors que Clodie se faufila entre les jambes de Frédéric et s'échappa dans le corridor pour se précipiter à l'étage supérieur.

— Merde ! lança Frédéric, éructant un juron qu'il n'employait pas souvent.

Il s'en voulut d'ailleurs par la suite. Il se demandait pourquoi il aurait cherché à augmenter son quotient de virilité auprès d'une femme puisqu'il n'avait strictement rien à foutre d'une femme quelle qu'elle fût. N'était-ce pas simplement la colère de perdre la maîtrise des événements et, qui plus est, à cause précisément d'un individu de l'autre sexe qui l'avait obligé à garder sa porte ouverte ? Il exécrait le bavardage féminin, à l'exception des miaulements de sa chatte Clodie dont il aimait surtout l'indépendance. Excédé par l'allure des événements, Frédéric s'astreignit à prendre un risque, somme toute, calculé, car cette fille devait, selon toute apparence, être inoffensive. Aussi bien se servir d'elle.

— Rendez-moi service, s'il vous plaît, rattrapez ma chatte et rentrez-la chez moi. Mon coffre à outils est dans la penderie juste là. Vous y prendrez ce que voudrez. Fermez la porte derrière vous, elle se verrouillera automatiquement, ça va ?

— Oui, répondit Caroline avant de voir Frédéric déguerpir comme si un obus allait lui tomber dessus.

Elle n'eut pas le temps de dire autre chose. Au moins, pensa-t-elle, j'ai brisé la glace. Elle réussit à récupérer Clodie, une belle féline grise arborant des zébrures noires sur la tête. Elle était contente d'entrer dans le condo de celui sur lequel elle avait jeté son dévolu. Elle l'avait vu la première fois, avec son animal de compagnie, au dépanneur du coin. Il achetait du lait et du jus d'orange. Elle avait été attendrie par cette pièce d'homme, à l'allure de play-boy, qui faisait des minauderies à sa chatte et qui lui parlait comme à une enfant. Elle avait marché derrière lui et s'était rendu compte qu'il s'agissait de son voisin. Puis, elle comprit qu'il était sans doute célibataire, car elle ne l'avait jamais vu avec qui que ce fût. Il n'en fallait pas plus pour qu'elle aspirât à sa conquête. Sauf que rien ne s'était déroulé comme ses fantasmes s'étaient plu à le lui faire croire. De retour au bercail, Clodie produisit un miaulement de contrariété, mais la bête se résigna à son retour au logis. Caroline découvrit aisément la boîte à outils de Frédéric, mais avant de repartir chez elle, elle ne put s'empêcher d'explorer les lieux. Elle fut surprise par le soin avec lequel chaque pièce avait été décorée. Elle osa pénétrer dans la chambre à coucher, la pièce la plus vide. Un grand lit, une commode moderne en érable ; rien ne maculait la blancheur des murs. Elle remarqua seulement quelques cadres sur la commode. L'un laissait voir une photo en noir et blanc d'un jeune homme d'aspect amaigri portant des taches aux visages. Peu ragoûtant. Il s'agissait de Martin Lacasse, l'ami d'enfance de Frédéric, peu de temps avant son décès. Une autre photo, en couleur celle-là, montrait un homme de race noire souriant, se détachant sur un fond de verdure tropicale. Aucune trace de femme, était-ce bon ou mauvais signe ? Caroline ne s'en retourna pas complètement bredouille. Elle tenait dans sa main droite deux tournevis.

12

Au bureau, Frédéric fut accueilli avec un soupir de soulagement. Il était dix heures quarante-cinq. Raoul se mordait les lèvres. Qu'espérait ce petit malin de Frédéric, lui faire perdre la face devant les autres collègues ? Mais il avait écourté son week-end, il fallait accepter parfois de marcher un peu sur son orgueil. Les salutations se résumèrent à des hochements de tête et à des sourires contraints. Frédéric reconnut ses interlocuteurs habituels sauf un. Raoul le lui présenta

— Je te présente Bernard Barette, un nouveau venu. Il fera ses premières armes avec toi.

— Bien sûr, dit en souriant Frédéric tout en serrant la pince de cet épigone dont il ignorait encore tout.

Il ressentait certes du dépit de n'avoir pas été informé plus tôt de l'adjonction d'un coéquipier novice, mais il ne voulait pas, en le laissant paraître, offrir à Raoul l'impression jouissive qu'il avait été coincé contre son gré.

— Pour me présenter plus précisément, ajouta Bernard, je suis marié et père d'un petit garçon de six mois en pleine santé.

Frédéric comprit alors que Raoul n'avait pu s'empêcher de souligner en catimini son orientation sexuelle. Bien inutilement, car il avait toujours rigoureusement désuni relation de travail et relation amoureuse. Non pas qu'il ne trouvât pas mignons certains enquêteurs, mais il ne voulait pas rater sa vie professionnelle pour une affaire de cœur ou de queue. Le monde était grand, au besoin il trouverait bien ailleurs l'homme qui lui conviendrait. Encore fallait-il qu'il en eût le goût. Cela lui reviendrait sans doute un jour.

— Félicitations, Bernard ! Maintenant, commençons !

— Eh bien ! Georges va nous faire un compte rendu des témoignages glanés par nos patrouilleurs, vers vingt heures trente, dans la soirée d'hier, à la suite de la mort spectaculaire de Roxane, la chanteuse que nous connaissons tous.

— Sans pour autant être l'un de ses fidèles admirateurs, enchaîna l'espiègle Frédéric.

— S'il te plaît ! dit simplement Raoul en regardant furtivement Frédéric et en levant un peu la main droite pour signifier que le cabotinage n'était pas de mise.

Puis, il invita Georges à dérouler son exposé.

— J'aimerais d'abord préciser qu'un médecin de l'hôpital Saint-Luc a confirmé le diagnostic de celui qui a accouru sur scène hier soir et que le médecin légiste, tout porte à le croire, ira dans le même sens.

— Et quel est ce sens ? l'interrogea Frédéric.

— Roxane, Manon Boisvert, de son vrai nom, aurait absorbé une substance qui lui était fortement allergène, ce qui aurait provoqué un violent choc anaphylactique ayant causé sa mort.

— Et quelle est cette substance ? poursuivit Frédéric.

— Il était de notoriété publique que Roxane souffrait d'une allergie extrême aux framboises.

— Pardonnez-moi de ne pas être un adepte des journaux à potins. Je n'en savais strictement rien.

— Frédéric ! pour l'amour du ciel, poussa Raoul, cessez d'interrompre constamment Georges. Écoutez ce qu'il a à dire, vous parlerez après.

— Malheureusement, nous n'avons pu nous emparer du reste de la boisson qu'elle avait bue sur scène au beau milieu d'une chanson. Dans sa chute, le verre est également tombé. Il s'est fracassé. Et la scène du crime a été, pour ainsi dire, nettoyée.

— Comment ? demanda Raoul, outré.

— Une dénommée Nathalie Chagnon a passé le balai, puis la serpillière, pendant que l'attention était portée sur la victime ; elle aurait agi dans l'intérêt général. Il y avait pas mal de monde sur scène et elle voulait éviter que quelqu'un ne se blessât.

— Noble intention ! mais que buvait Roxane ? poursuivit Raoul.

— Un cocktail appelé *Il Fuoco dell'amore*. Fait entre autres choses de Campari et de jus de canneberge, ce qui explique probablement que le jus de framboise soit passé inaperçu.

— J'espère au moins qu'on a saisi le contenu du frigo pour analyse, ne put s'empêcher de lancer Frédéric, qui n'aimait pas qu'on le réduisît au silence.

— Oui. Enfin, le Service d'identité judiciaire a fait son travail et le laboratoire de chimie organique devrait nous faire parvenir sous peu des résultats, sauf que tout juste après que le cocktail eut été terminé, Sylvie Boisjoli, la régisseuse et accessoiriste, nous a dit que la bouteille de jus de canneberge ayant servi à la préparation du cocktail lui avait glissé des mains lors d'une chute. Si le jus de framboise y avait été versé, nul ne le saura jamais, car je peux dire que ces femmes-là sont de sacrées bonnes ménagères. Mais peut-être en retrouverons-nous trace dans le Campari !

Frédéric et Raoul firent la même moue dubitative. Bernard songea que ces deux êtres

si opposés en apparence pouvaient, en sour-
dine, avoir la même réflexion.

— Outre la maquilleuse, la régisseuse
et le médecin accouru sur scène, il y avait là
le pianiste, qui se tenait à proximité du cocktail, mais en pleine lumière, sur la scène devant le public ; disons que les circonstances
tendent à le disculper. Des proches qui se
trouvaient dans l'assistance sont venus sur
scène. Son fils Dany, mieux connu en tant que
travesti sous le nom de Raquel Walsh, semblait vouloir se défendre d'un soupçon qu'il
appréhendait à son égard. Dans l'après-midi,
et cela est corroboré par le témoignage de la
maquilleuse, il était venu rendre visite à sa
mère et la rencontre s'est terminée par une
engueulade. Il semble qu'il lui ait réclamé de
l'argent. Il y avait aussi le fiancé de Roxane,
un antiquaire de cinquante-neuf ans s'appe-
lant Bertrand Bellavance. Absolument désemparé ! Les deux tourtereaux allaient convoler en justes noces après la nouvelle tournée
de Roxane. Le gérant de la chanteuse était là
également. Il s'agit de monsieur Mario Ricard, un homme dont la présentation est sans
doute inutile. Il a essayé de calmer et de
consoler les proches de sa protégée. Il nous
a affirmé que celle-ci avait sans doute
quelques ennemis, car le succès suscite l'envie et l'envie conduit parfois à la frustration
et à l'expression d'une colère ravageuse. Sans

vouloir accuser qui que ce fût, l'imprésario a dirigé son regard vers Dany envers qui il semblait avoir une grande méfiance. En outre, Sylvie et Nathalie ont signalé la visite impromptue, au cours de l'après-midi, d'un homme apparemment dans la trentaine, cheveux noirs et yeux verts, qui prétendait être l'amant véritable de Roxane, laquelle a semblé terrifiée à sa vue. Cet hurluberlu était, paraît-il, passablement agité. Il a donc été sorti de force par les gardiens de sécurité. Lui aussi a eu accès au frigo. On a découvert dans un tiroir de la coiffeuse de la loge de Roxane l'anneau que vous pouvez admirer dans ce sachet de plastique. Sur sa facette intérieure apparaît le nom de Rémi Fichu et sur son pourtour extérieur, la déclaration d'amour pour la belle défunte. Monsieur Bellavance a eu également le frigo à sa portée puisqu'il a mangé avec sa promise et ses deux assistantes peu de temps avant le spectacle et qu'il était allé dans la loge de Roxane pour y déposer des fleurs.

— Presque tout le monde a eu accès à ce frigo, si je comprends bien, débita machinalement Frédéric.

— Oui. Enfin, monsieur Mario Ricard n'a pas été vu avant le spectacle, mais à titre d'agent et de producteur, il a pu avoir accès à un moment ou à un autre à la loge de Roxane. J'oubliais : Hervé l'Œil y a fait son tour pour son émission en direct juste avant le spectacle et il a offert une bouteille de Campari qui est présentement sous analyse. Je vous laisse une copie des rapports des patrouilleurs pour les renseignements plus factuels.

13

Les résultats de l'analyse du Campari offert par Hervé l'Œil ne révélaient aucune anomalie. On ne retrouva aucune trace de jus de framboise nulle part ailleurs. Dans les circonstances, Frédéric décida d'interroger en premier lieu le patron de Dany. Sur le coup, Bernard ne contesta pas ce choix. Tous deux se présentèrent en début d'après-midi dans un bar offrant en soirée des spectacles de travestis haut en couleur. Le rapport d'un des patrouilleurs leur avait fourni l'adresse du lieu de travail de Dany. Il était treize heures trente. La place était bien tranquille. Quelques habitués à la limite de l'alcoolisme sirotaient leur bière. Bernard fut surpris de la faible proportion de couples. Il y en avait un seul en fait dont les membres ne semblaient guère contents d'être en compagnie l'un de l'autre. Mais la clientèle de nuit devait être plus divertissante.

— Comment tu te sens ? questionna Frédéric.

— Pas chez moi, dit en souriant Bernard, mais il faut bien se présenter là où le travail nous appelle.

— Philosophe, c'est bien. Dans ce métier, il faut garder la tête froide. On va demander le propriétaire. Garçon ! le héla-t-il, j'aimerais vous poser une question.

Le jeune homme mince aux yeux bleu acier, aux longs cils gracieusement recourbés, ne fut pas du tout importuné par la manière cavalière dont il avait été apostrophé.

— Que puis-je faire pour toi mon beau ?

— J'aimerais parler au propriétaire des lieux.

— À quel sujet ?

— C'est, pour ainsi dire, personnel.

— Bon, je vais vous le chercher. Mais je vous avise qu'à une heure si hâtive, il est d'humeur exécrable.

— J'insiste.

— Pourquoi ne sommes-nous pas allés directement au domicile de Dany ? demanda Bernard. Il est sûrement chez lui.

— Il est parfois bon de voir dans quel milieu évolue un suspect. Son environnement peut parfois nous fournir des renseignements précieux.

— L'enquête ne risque pas de s'éterniser ?

— Un bon enquêteur doit faire preuve de patience.

Bernard faisait contre mauvaise fortune bon cœur. Pendant qu'il scrutait les lieux du regard, Frédéric l'observa attentivement pour la première fois. Sans rien avoir d'exceptionnel, ses traits étaient harmonieux. Ses cheveux chocolat au lait légèrement bouclés étaient plutôt courts, ses yeux noisette s'agitaient à l'occasion comme ceux d'une bête à l'affût du danger. Ses gestes pourfendaient l'air ambiant, dessinant des lignes longitudinales ou verticales. De toute évidence, malgré la courbure délicate de ses cils un peu longs, il s'agissait d'un hétéro avéré. Le patron arriva soudain en tenue ambiguë : un pantalon trois quarts vert lime, une chemisette rose, des verres fumés brunâtres, des traces d'un maquillage récalcitrant.

— Que me veulent ces messieurs ? dit-il d'une voix grave et sonore. À cette heure-ci, je ne donne pas d'autographe.

— Nous sommes de la police, lança Bernard.

— Tout à fait, poursuivit Frédéric en exhibant son insigne de poche.

— Dieu du ciel ! vous ne venez pas me voir à cause de la mort de Roxane ? Je vous le jure. Moi, Marlyne, Mario si vous préférez, je n'ai rien à voir ni de près ni de loin avec cette histoire-là !

— Dany, son fils, travaille bien pour vous !

— Hélas ! Si vous saviez comme je regrette de l'avoir engagé. Si j'avais su ce qui arriverait !

— Pourquoi dites-vous cela, vous croyez que Dany a quelque chose à voir avec la mort de sa mère ?

— Je n'en sais rien. Tout ce que je peux vous dire, c'est qu'il est une source d'ennui perpétuelle. Le plus souvent, il arrive en retard et dans un état pas toujours souhaitable.

— Que voulez-vous dire, il boit ?

— Dans ce milieu, c'est plutôt fréquent.

— Se drogue-t-il ?

— Rien ne sert de se vautrer dans le mensonge, vous apprendriez tôt ou tard la vérité. Oui. Avec quelle saloperie exactement ? Dieu seul le sait. Mais il prétend ne plus toucher à quoi que ce soit. Il a récemment pris un congé de deux semaines pour subir une cure de désintoxication. Excusez ma franchise, mais j'ai grand peine à lui accorder ma confiance. Son comportement arrogant n'a pas changé d'un iota. Il se fait toujours attendre, car il se prend, il va sans dire, pour une diva. On l'aime bien, mais il faudrait tout de même ne pas s'enfler la tête comme une grosse montgolfière.

— Vous n'avez pas l'air très satisfait de lui. Pourquoi le gardez-vous comme employé ? demanda Frédéric.

— Raquel Walsh rapporte gros. Je dois avouer qu'il a une voix charmante et qu'il bouge comme pas un, ce foutu salopard. Et malgré son nom que je ne trouve pas particulièrement heureux, car sa spécialité est la chanson française, il a un succès inouï; un sondage maison nous l'a confirmé, il attire une bonne proportion de notre clientèle. Le public en raffole. Que de sensualité ! C'est à s'étouffer avec sa salive. Quand il chante *Déshabillez-moi !* la salle est en délire. Je n'ai personnellement plus autant de succès et croyez bien que ça me désole au plus haut point. C'est vrai que je ne fais que semblant de chanter et que Raquel Walsh roucoule comme pas une. La maudite !

— Savez-vous qui l'approvisionne s'il se drogue encore ?

— Non ! Et je ne veux pas le savoir. Pourquoi ne lui posez-vous pas ces questions-là, à la belle Raquel ? Elle pourrait vous répondre. Ce soir, elle chantera à partir de vingt-trois heures.

— Malgré la mort de sa mère, fit remarquer Bernard.

— Vous verrez bientôt une affiche à l'entrée qui dira : « Malgré la perte douloureuse de sa maman, Raquel se donnera ce soir à son public ». Vous pouvez être sûrs que la place sera archicomble. C'est sa décision. Elle m'a dit que sa mère serait déçue de lui s'il négligeait sa carrière à cause d'elle. Entre vedettes, on se comprend. Vous viendrez ?

— Vous pouvez compter sur moi, répondit aussitôt Frédéric.

Bernard fit une moue de désagrément qui signifiait que rien ne le forcerait à bosser après sa journée officielle de travail.

— Nous vous saluons, Marlyne, dit Frédéric.

— À ce soir, lui répliqua l'homme aux traits féminins, qui esquissa des yeux coquins en ourlant légèrement les lèvres.

Avant de se retirer, Bernard inclina poliment la tête en serrant les dents, souffrant d'un agacement certain.

— Allons-nous rendre visite à ce fameux Dany ? poursuivit-il à la sortie du cabaret.

— Pourquoi pas ?

14

Dany habitait le deuxième étage d'un édifice vieillot du Plateau Mont-Royal, rue Marchand-de-Sable plus précisément. On y accédait par un escalier en colimaçon dont la rampe en fer forgé était ornée de fleurs de lys. La façade du bâtiment, composée principalement de briques marron, offrait des motifs en losange de couleur ocre et l'entrée se profilait derrière une arcade à bordure arrondie. Pour ne pas paraître complètement désintéressé, Bernard avait laissé s'échapper de sa bouche légèrement charnue quelques réflexions peu utiles au déroulement de l'enquête, du genre : « Ce Dany doit posséder quelque talent puisqu'il attire une foule d'admirateurs ». Ce à quoi Frédéric avait répliqué en affirmant qu'il ne fallait pas jauger la valeur de qui que ce fût simplement à sa popularité. Bernard insista tout de même pour dire qu'il avait sans doute quelque chose d'accrocheur, de vendeur du moins, puisque le public s'emballait pour lui.

— À quoi riment toutes ces suppositions ? demanda Frédéric.

— Je m'exerce à trouver les motivations qui forcent le comportement humain, répondit Bernard pour se justifier.

— Je ferai une mise au point, il y a deux pôles en général qui déterminent le choix de nos actes, ils prennent les figures d'Éros et de Thanatos.

— La vie et la mort.

— C'est trop abstrait ce que tu dis là ! Éros, c'est la jouissance charnelle, sublimée parfois par l'amour ; c'est aussi le pouvoir et tout ce qu'il faut pour y arriver : l'argent, la beauté par essence injuste, le succès, souvent imprévisible. Thanatos, c'est l'autre membre du couple, la part sombre de nous-mêmes, la rage du manque ou de l'absence, la frustration et le désir de nous soustraire à cette souffrance de l'insuccès, par tous les moyens, quitte à nous éliminer pour échapper à un sort insupportable, quitte à nous attaquer à ceux qui nous portent ombrage, à ceux que nous tenons responsables de notre situation sans issue.

— Ma femme m'a déjà dit que les gays étaient plus volubiles que les hétéros. Sacré sens de l'observation tout de même.

— Dis-toi que je suis moins ennuyant qu'un certain collègue qu'il faut quasiment torturer pour lui soutirer quelques mots. À mes débuts, j'ai travaillé avec un sergent-détective plutôt avare de paroles. Il a fini par s'ouvrir après que j'eus résolu quelques affaires épineuses. Je crois qu'il se méfiait de moi simplement parce que je suis gay.

— Pour ma part, je le répète, dit Bernard, je suis hétéro à 100%.

— Ce n'est pas ce qui devrait nous empêcher de travailler efficacement ensemble. Quand nous serons à l'intérieur, pendant que j'interrogerai Dany, excuse-toi pour aller au petit coin. Quand tu seras dans la salle de bains, tu examineras le contenu de la pharmacie. Prends en note tout ce que tu verras de particulier.

— Tu veux que je prenne des photos ?

— Tu as un appareil ?

Bernard dégagea de la poche intérieure de son paletot de lainage noir un appareil numérique miniature dont il semblait extrêmement fier. Frédéric lui signala que c'était une excellente idée.

Quand Dany apparut dans l'embrasure de la porte, il avait les traits tirés.

— Vous avez mal dormi ? demanda Bernard.

— Qui êtes-vous ? répliqua Dany visiblement inquiet.

Les deux enquêteurs se présentèrent. Dany les invita d'un geste de la main à s'engouffrer dans un long corridor menant à la salle de séjour. Le mobilier, plutôt modeste, était très coloré. Du canapé vert lime à la bergère fuchsia, de l'abat-jour doré à la table basse bleu royal, tout révélait une inclination marquée pour les contrastes vifs. Frédéric et Bernard s'assirent sur le canapé et Dany, sur la causeuse. Bernard fut un instant distrait par les nombreux tableaux couvrant les murs, achetés à la foire annuelle du quartier gay. S'étalaient, impudiques, des corps d'homme, la plupart nus, le sexe surdimensionné dressé vers les étoiles telle une supplication adressée aux forces célestes. Les silhouettes brossées se débattaient dans un inextricable réseau de filaments multicolores. Il y avait des hommes debout, d'autres à genoux ou couchés. L'un des tableaux présentait une scène de sodomie.

— Pour commencer, nous allons vérifier si les données fournies par les patrouilleurs sont exactes.

Après la prise des renseignements relatifs à l'identité du suspect et un retour sur les événements de la veille commença un véritable interrogatoire, mais un peu avant, Bernard s'était habilement défilé prétextant l'urgence d'un besoin primaire. Dans la salle de bains, il en profita pour pisser en regardant les nombreuses photos collées aux murs : Marlene Dietrich, Édith Piaf, Marilyn Monroe, Dalida, Françoise Hardy et Roxane. Après s'être lavé les mains, il ouvrit la porte de la pharmacie et prit note de son contenu. Il emmagasina quelques photos. En retournant au salon, il vit une pièce dont la porte était entrouverte et qui semblait servir d'entrepôt : une machine à coudre, des robes à paillettes, d'autres plus sobres mais d'un raffinement toujours exquis, des perruques de toutes les couleurs reposant sur des têtes de polystyrène, un amoncellement de bijoux de pacotille jonchaient une coiffeuse. Sur une étagère s'entassaient des livres à jaquette jaune. Tel était le trésor de la *drag queen* la plus médiatisée de l'heure. Bernard, soucieux des apparences, se rassit à distance respectable de Frédéric.

— Avez-vous des ennemis dont vous ayez peur ? demanda ce dernier à Dany.

— Quelle question bizarre ! C'est ma mère qui a été tuée, pas moi. C'est vrai qu'au travail, on ne me traite pas toujours avec tous les égards que mes talents commandent, mais vous le savez, en matière de vacherie, le milieu est incomparable. Le problème, c'est que nous, les marginaux, on ne s'aime pas assez. À force d'être regardés de haut, on se croit petits. Le mépris est le fiel dont les bien-pensants s'enorgueillissent et par lequel ils nous condamnent à vivre en ghetto.

— Je ne veux pas débattre de votre situation sociale ; j'ai une question plus personnelle. Vous n'auriez pas un problème de drogue ?

— J'ai suivi récemment une cure de désintoxication fort coûteuse. Je vous mentirais si je vous disais que je n'ai pas le goût d'une ligne de coke de temps en temps, mais je résiste. Il le faut, c'est une question d'honneur. Malheureusement, je bois trop. Faudrait pas que je devienne alcoolo parce que…

— Pourquoi ?

— J'approche de mon but. J'ai écrit les grandes lignes d'une comédie musicale à partir d'airs connus. J'ai besoin d'argent pour acheter les droits d'utilisation des musiques que j'ai choisies. C'est la raison pour laquelle j'étais allé voir ma mère. Je pensais qu'en tant qu'artiste, elle me comprendrait, qu'elle m'appuierait dans ma démarche. Elle croyait que je voulais encore m'acheter de la drogue avec son argent, mais je veux m'en sortir tout simplement, vous comprenez, dans la dignité, poursuivit Dany, les larmes affleurant les yeux. Sans un rêve qui nous porte, que sommes-nous ?

— Mais peut-être allez-vous justement vous en sortir avec l'héritage qui vous reviendra ? susurra Frédéric sournoisement.

— Je ne suis pas sûr que Roxane ait pensé à moi, rétorqua le fils de la vedette, sans trop réfléchir, puis s'inquiétant brusquement, vous ne croyez pas que je l'aurais tuée pour de l'argent ? ajouta-t-il. Ce serait ridicule. Ce n'est pas parce que je porte des perruques, des robes et des colliers que je suis mauvais. Je crains que vous n'ayez subi malgré vous l'influence néfaste de Rousseau.

— Comment ! je ne vous suis pas.

— Oui, le mythe du bon sauvage. Croyez-moi, l'homme n'a pas besoin d'urbanité ou de quelque raffinement de civilisation pour être méchant. Je sais de quoi je vous parle, je viens de la campagne où l'on s'amusait à me lapider à cause de mes manières. Je ne suis pas une criminelle ! lança Dany, s'échauffant sensiblement.

— Restez calme, monsieur ! intima Bernard qui était vite exaspéré par les lamentations et les grands airs offensés.

— Madame ! Je préfère qu'on me dise madame.

Bernard garda le silence et Frédéric lui fit gentiment un signe de la main le priant de le laisser conduire l'interrogatoire.

— Dany, qui, selon toi, aurait eu intérêt à mettre fin aux jours de ta mère ?

Un long silence suivit, comme si Dany craignait de se prononcer sur la question.

— Elle se confiait très peu à moi. De toute manière, comment prêter foi à ses paroles ?

— Que voulez-vous dire ?

— Eh bien ! Il y a eu cette photo parue dans un journal à potins la montrant en compagnie d'un bel homme en soutane, un religieux peu réfractaire, me semble-t-il, au rapprochement physique. Imaginez ! Elle m'a assuré qu'il s'agissait de son confesseur.

— Ne s'appellerait-il pas Rémi Fichu ?

— Je ne sais pas.

— Ma mère m'a dit que son fiancé, ce Bellavance sénile, était très jaloux. C'est peut-être lui le coupable.

— Et votre mère ne s'est pas plainte de quelqu'un ces derniers temps ?

— Non ! dit d'abord Dany, puis il se ravisa. Mais si, elle m'a déjà dit qu'elle ne pouvait continuer à m'aider comme elle l'avait déjà fait auparavant parce que ses réserves commençaient à fondre dangereusement. Je ne l'ai pas crue. Peut-on concevoir que Roxane, avec la carrière qu'elle a faite, soit sans le sou ? Toujours est-il qu'elle s'est dite agacée par l'hésitation de son imprésario à financer son dernier spectacle. Je pense seulement qu'elle voulait se débarrasser de moi. Mario Ricard est un gentleman. Il pourrait peut-être devenir mon mécène maintenant que ma mère s'en est allée. Qu'en dites-vous ?

Frédéric n'aimait pas qu'un suspect lui posât des questions. Il avait cependant remarqué dans l'attitude de Dany une désinvolture naïve qui l'innocentait de prime abord à ses yeux. Quoi qu'il en fût, il ne put s'empêcher de lui donner un conseil amical.

— À votre place, j'attendrais la fin de l'enquête avant de nouer des relations avec quiconque ayant fait partie de la vie de votre mère. Je vous laisse ma carte, ajouta-t-il en se levant, et si vous avez des détails intéressants qui vous viennent en tête, appelez-moi !

— Oui, oui, répéta Dany trop heureux de voir la police quitter les lieux. Je n'y manquerai pas.

Dans la voiture en mouvement, Bernard semblait peu à peu s'habituer à la présence de son nouveau collègue et engagea naturellement la conversation.

— Tu ne l'as pas cuisiné très longtemps.

— Pour l'instant, nous n'avons pas d'éléments précis qui pourraient nous porter à croire qu'il a quelque chose à voir avec la mort de sa mère. Y avait-il du jus de framboise dans sa pharmacie ?

— Non. Beaucoup de cosmétiques. Des boules de ouate. Des aspirines, du sirop contre la toux Bénylin et un vaccin, semble-t-il, contre la diarrhée, le Dukoral. La boîte était ouverte, mais je n'ai pas regardé à l'intérieur, je ne voulais pas laisser d'empreinte.

— Tu n'avais pas tes gants de latex sur toi ?

— Non…

— Il faut toujours les avoir sur soi. Peu importe, fais un appel au labo afin qu'on fasse une recherche sur ce médicament.

Bernard s'exécuta, mais il ne put que laisser un message dans la boîte vocale du labo.

C'était samedi. Il y avait moins de personnel que dans la semaine. Le technicien sur place devait être en pause.

— Tu crois qu'il disait vrai en affirmant s'être libéré de l'emprise de la drogue ? questionna Bernard.

— Il voulait peut-être protéger son *dealer*, mais qui sait ? Certains s'en sortent.

— Je m'excuse pour ce soir, mais je n'irai pas au cabaret.

— Pourquoi t'excuser ? Tu termines ta journée à dix-sept heures. Tu n'es pas contraint de travailler au-delà de cette limite.

— J'ai une femme et un enfant, des obligations familiales. Je voudrais que mon mariage tienne. Le divorce est si fréquent dans notre profession. Toi, tu n'as pas de petit copain ?

— Non, je n'ai personne dans ma vie intime. Je suis bien ainsi.

— Où allons-nous au fait ?

— À la boutique de monsieur Bertrand Bellavance. À cette heure-ci, il doit encore s'y trouver.

— Mais pourquoi y serait-il ? Il vient de perdre sa fiancée.

— Appelle pour vérifier !

Bernard appela plutôt au domicile de l'antiquaire et, comme il s'y trouvait, il le prévint de la visite qu'il recevrait sous peu.

— Tu as appelé directement chez lui.

— J'étais sûr qu'il y serait.

— De la chance.

— Non, de la psychologie.

— Puisque tu es psychologue, crois-tu qu'il puisse être coupable ?

— La jalousie, je ne pense pas que ce soit un mobile suffisant pour tuer. Moi, par exemple, je suis un peu jaloux. Quand ma femme semble s'amuser en compagnie d'un autre homme, je n'aime pas ça du tout.

— Il y a différents degrés de jalousie. Pour ma part, je pense que la jalousie ne peut faire que du mal. D'abord, parce qu'elle nous rend désagréables et qu'elle peut éveiller justement le sentiment dont on craignait l'apparition. Et puis, si tu y penses bien, on fuit ceux qui nous blessent de leur méfiance, justifiée ou pas. La personne jalouse est finalement celle qui souffre le plus. Elle se morfond, se torture, faute de se sentir aussi digne d'attention qu'une autre. Autrement dit, la jalousie trahit un manque de confiance en soi.

Bernard regrettait de s'être confié. Il était furieux de se faire sournoisement analyser par son collègue. Il ne s'attendait pas à ce qu'il prît une telle liberté.

— Ça va, ça va, ne parlons plus de moi, dit-il pour mettre fin à ce qu'il prenait pour une offense.

15

Bertrand Bellavance habitait un pavillon élégant de Ville Mont-Royal, îlot de richesse flanqué d'une clôture symbolique, ville opulente coincée dans un écrin de pauvreté relative si ce n'était de la contiguïté, par ailleurs rompue par la trajectoire d'une voie ferrée, avec Outremont la fière et bourgeoise. La maison élancée, aux larges fenêtres, évoquait le travail accompli par Le Corbusier. Rien qui semblât antique ou même plus modestement vieillot dans cette construction aux lignes pures et fluides. Frédéric sonna. Monsieur Bellavance ouvrit la porte doucement, si doucement qu'il parut dès ce premier abord très affligé. Toute expression de joie avait fui de son visage légèrement buriné, aux lignes à la fois harmonieuses et viriles.

— Veuillez entrer ! dit-il sur un ton neutre, comme s'il fût le laquais de sa propre maison. Suivez-moi !

C'est ainsi que les deux enquêteurs découvrirent un univers peu commun exhibant un amalgame d'antiquités et d'objets d'art moderne. La salle de séjour, malgré la vasti-

tude des fenêtres, était faiblement éclairée,
assombrie par la lourdeur des draperies
opaques d'inspiration médiévale. Un dessin
aéré plein d'une fraîcheur poétique trônait
au-dessus de la cheminée. En s'en appro-
chant, Frédéric en releva le nom de l'auteur :
Cocteau.

— Vous le connaissiez ? demanda Frédéric.

— Hélas ! non. J'ai eu ce tableau à la suite
d'un troc, disons-le, très avantageux.

En disant cette dernière phrase, monsieur
Bellavance n'avait pu dissimuler un brin de
fierté, celle de l'homme d'affaires aguerri,
celle du connaisseur aussi. Une lumière avait
soudainement envahi ses yeux éteints.

— Veuillez vous asseoir !

Les deux enquêteurs prirent place dans
un canapé à la forme moderne, mais dont le
tissu évoquait le petit point des tapisseries
anciennes. Frédéric décida de passer à l'at-
taque sans plus tarder.

— Roxane aurait bien complété votre collection d'objets d'art ! lança-t-il à tout hasard.

— Roxane était plus qu'une œuvre d'art.
C'était la vie même. J'aurais tout laissé derrière moi pour elle…

Des larmes perlèrent sur la courbure des
yeux de l'antiquaire apparemment ému. Il
semblait vivement touché. Il s'assit dans un
fauteuil de velours vermillon duquel se dé-

tachait son profil un peu raide. Frédéric fut embêté. Il espérait une colère, un égarement quelconque, un geste qui pût lui donner une idée claire du personnage. Rien de tel. L'attitude était noble ; la peine, retenue. Il décida de poursuivre dans le même sens.

— Certaines personnes que nous avons interrogées nous ont confié leur sentiment mitigé à votre égard.

— Je les connais ?

— Peut-être. Je préfère de toute façon garder confidentielle la source de mes renseignements.

— Je n'ai rien à me reprocher. Je suis profondément désolé que Roxane nous ait quittés. Alors, si vous aviez quelques questions précises, je vous prierais de me les poser tout de suite. Sinon, je vous demanderais de me laisser seul. Je ne pense pas que Roxane vous intéresse. Pour moi, c'était ma raison de vivre.

— Quel sentiment éprouvez-vous, demanda Bernard, à l'égard du jeune homme photographié avec Roxane dans un jardin public de Westmount et dont la photo est parue dans un journal qui vous est sans doute passé entre les mains ?

Les joues de Bellavance s'empourprèrent légèrement. Ses narines s'enflèrent. Ses mains serrèrent les bras du fauteuil. Allait-il éclater de colère ? Il sembla se faire violence afin de se contenir.

— C'était son confesseur, glissa-t-il simplement dans un souffle rauque.

Ses paroles reprenaient celles de Dany, mais l'effet de la question n'était pas du tout le même. Les yeux à demi fermés, il supplia les enquêteurs de partir, de le laisser tranquille.

— Nous ferons tout pour retrouver le coupable, poursuivit Frédéric sur un ton faussement consolateur.

— Oui, trouvez-le ! s'empressa de dire de sa voix cassée l'antiquaire éploré.

Frédéric fit signe à son acolyte que le temps de partir était venu, qu'il fallait, d'un point de vue stratégique, savoir lâcher prise et battre en retraite. Dans la voiture, la conversation roula sur la sincérité des sentiments du vieux fiancé. N'était-il pas un peu trop digne, un peu trop poseur ? N'était-il pas trop bien mis dans son costume bleu marine pour être l'homme affligé qu'il prétendait être ? Questions qui ne pouvaient recevoir de réponses satisfaisantes. Frédéric conclut en disant que l'homme était un animal imprévisible, que parfois exposés à une situation identique, les uns pouvaient réagir de manière diamétralement opposée à certains autres, d'où l'incertitude quant au comportement appréhendé d'un suspect éventuel. N'évoluant pas dans le cadre d'un milieu naturel, l'homme était, par essence, artificiel. Il

128

était le résultat d'une histoire singulière s'inscrivant au sein d'un système de régulation sociale plus ou moins contraignant. Il se construisait dans cette tension perpétuelle entre ses pulsions propres et les conventions communautaires auxquelles il se soumettait ou s'opposait. C'était ce qui faisait sa beauté en même temps que sa complexité et son extrême solitude.

— Je t'en supplie, ne philosophe pas trop, Frédéric. Tu vas me donner mal à la tête.

— Je suis sûr que tu as la tête plus solide que tu ne le prétends. À propos, demain, nous ferons relâche. On se revoit à neuf heures, au bureau, lundi matin, ça te va ?

— En fin de semaine, je vais tirer sur imprimante les photos que j'ai prises chez Dany. Je pourrai les présenter lundi matin. Que vas-tu faire demain ? s'informa Bernard qui s'inquiétait d'être éventuellement mis à l'écart en catimini.

— Tu t'intéresses à ma vie privée maintenant ?

— Pas du tout, répliqua promptement Bernard qui ne voulait rien savoir de la vie sentimentale de son collègue.

— À part ta famille, qu'est-ce qui te branche ?

— Je joue au tennis et, quand je peux, je fais un peu de voile l'été avec mon frère Jimmy au lac Champlain.

— Je ne suis pas loin de penser que tu es un être exceptionnel, parfaitement équilibré, sans faille.

Bernard était indisposé par le ton badin de la conversation. Il ne céderait à aucune tentative visant à lui arracher des confidences, voire à le séduire. Il voulait garder une distance appropriée et considérable vis-à-vis de son coéquipier gay. Ne pourrait-il pas devenir objet de moquerie de la part de ses collègues s'il sympathisait trop avec ce Frédéric ? Il ne lui semblait pas être un mauvais garçon, certes, mais son orientation sexuelle le gênait considérablement. Finalement, il consentit à répondre à son interlocuteur.

— Personne n'est parfait.

16

Frédéric était content de rentrer chez lui. La journée avait été peu productive, mais il se réjouissait de l'attitude somme toute plutôt constructive de son nouvel assistant. Il entreprit de se mettre à l'aise et de se rafraîchir. Il venait à peine de se doucher, il s'asséchait quand la sonnette retentit. Il enfila à la hâte un pantalon de lin, hyper confortable, en omettant le slip pour se dépêcher d'aller ouvrir. Son torse glabre, légèrement musclé, et ses mamelons chocolat au lait bondirent alors dans le panorama qui s'offrait à Caroline. Gênée, mais ravie, elle releva les yeux en même temps que les deux tournevis qu'elle tenait dans sa main droite.

— Voilà ! dit-elle, en les lui présentant, je vous remercie, j'ai pu accrocher mes cadres.

— Tant mieux ! poursuivit Frédéric en prenant les tournevis, mais ne se rendant pas compte de l'effet soulevé par son sourire bienveillant et par sa peau ruisselante.

— Je vous ai vu à la télé, il y a une heure environ, enchaîna Caroline.

— Oui, je suis responsable des communications dans l'affaire dite Roxane.

— Vous n'avez vraiment pas de suspect bien identifié, seulement des témoins en vue ?

— Mon travail a quelque chose d'un peu confidentiel et le succès d'une enquête dépend souvent du secret que l'on réussit à maintenir relativement à la découverte de certains indices.

— En tout cas, votre profession est exaltante.

— Disons que s'il y a une routine, elle est pavée de revirements parfois spectaculaires.

— J'aimerais devenir enquêteuse. Je peux entrer ? osa demander Caroline dont le cœur battait la chamade et dont l'œil tourné vers la droite s'était accroché à une perle liquide en équilibre sur l'épaule musclée de son interlocuteur, lequel demeura silencieux le temps d'une hésitation dramatique, car il appréhendait la suite des événements.

— Entrez ! Et venez vous asseoir au salon.

— Mon nom, c'est Caroline, et je suis plus jeune que toi ; il faut absolument éliminer le vouvoiement entre nous.

Précisément, le *vous* permettait de maintenir une distance fortement souhaitée. Frédéric, songeur, déposa les tournevis sur la console de l'entrée et s'engagea en direction du salon. Caroline le suivit, l'œil admiratif. Elle parcourut de haut en bas la finesse racée de son dos impeccable dont la ligne superbe plongeait finalement sous la toile de lin délicate, là où les fesses charnues se moulaient avec insolence. Un trouble agitait Caroline. Frédéric se retourna vers elle, empli d'une vague inquiétude, et d'un geste simple de la main l'invita à prendre place dans un fauteuil. Quant à lui, il se campa dans le canapé. Le héros assiégé tentait de dissimuler sa perplexité. Il devinait confusément les attentes, tout à fait irréalistes, de la jeune fille en fleurs qui serait sans doute bientôt en pleurs s'il ne mettait pas un terme à la langueur de ce regard féminin dont il sentait les effleurements sur sa chair nue. Qu'il regrettait de n'avoir pas pris le temps de bien se couvrir !

— Il fait chaud ici, dit-elle, en commençant à déboutonner son chemisier de soie lilas.

— Pas tant que ça !

— Pour toi, c'est facile à dire, tu es presque à poil, répliqua la chasseresse torride.

Caroline percevait sous le pantalon léger de Frédéric le galbe de son membre viril dont le gland semblait se dessiner effrontément. Frédéric ne pouvait plus supporter cette situation ; il était sur le point de se lever et de mettre à la porte cette gazelle qui s'évaporait de désir devant lui quand il se décida à parler franchement.

— Je suis homosexuel, avoua-t-il.

Les yeux de la belle s'écarquillèrent, la bouche s'entrouvrit, mais ne resta pas longtemps silencieuse. Ne voulant pas perdre la face, Caroline opta pour une feinte stratégique, histoire de faire croire qu'elle n'était pas dupe, que les manifestations lascives de son désir n'étaient finalement qu'un trucage dont le but était d'obtenir un aveu auquel elle s'attendait bien naturellement.

— Je le savais. Enfin, je m'en doutais bien, lança-t-elle sans vergogne.

— Ah bon ! C'est si apparent ? l'interrogea Frédéric.

— Je t'observe depuis plusieurs jours. Un beau gars comme toi qui devrait soit être marié, soit avoir une horde de femmes à ses trousses et qui ne semble avoir pour tout compagnon qu'un représentant de la race féline et qui, par surcroît, décore sa chambre avec des photos de gars, celui-là ne peut être qu'un homo.

— Charmant ! Vous avez fouiné dans ma chambre à coucher.

— Je m'excuse. J'y ai suivi ton chat. J'avais peur qu'il s'échappe par une ouverture quelconque.

— Vous mentez mal !

Surtout, Frédéric se demandait comment il avait commis l'erreur de laisser entrer une jeune femme qu'il connaissait à peine. Et encore, il s'en était remis au jugement de sa lancinante voisine. Comment avait-il pu manquer de vigilance à ce point ? Était-ce à cause de l'éloge qu'il avait entendu d'elle, ou à cause de l'air d'innocence qui illuminait ses yeux charmants, qui laissaient filtrer néanmoins un poids de désir insupportable ? Merde !

— Tu me pardonnes, n'est-ce pas ? enchaîna-t-elle d'une voix plus douce que le miel d'acacia.

— Ça va.

Frédéric considéra qu'il n'y avait pas péril en la demeure. Que les indiscrétions de Caroline ne relevaient au fond que de l'enfantillage. Il se rassurait. Et il y avait peut-être une autre raison pour ne pas foutre à la porte sa voisine. Sa vie sentimentale pataugeait dans une vacuité déprimante. Certes, un homme aurait pu rassasier ses instincts animaux, mais Caroline, c'était un peu plus que Clodie. Sous une apparente solidité de caractère, Frédéric cachait une sensibilité à fleur de peau. Il s'en préservait du mieux qu'il pouvait ; cependant, même s'il devait enfreindre son code de déontologie, il croyait avoir peu à perdre et beaucoup à gagner en élargissant le cercle de ses amitiés.

— Tu me promets de ne plus jamais me vouvoyer, dit énergiquement Caroline en regardant Frédéric droit dans les yeux.

— Je vais essayer. Tu sais, c'est une déformation professionnelle. Je me suis imposé le *vous*, même quand je parle à plus jeune que moi, car je veux garder une distance vis-à-vis des témoins ou des présumés coupables.

— Et une distance envers les femmes aussi.

— Je trouve certaines femmes très belles, mais je n'éprouve pas de désir à leur égard. J'ai déjà eu une femme dans ma vie. L'aventure a duré quelques années. Sur le plan de la mécanique sexuelle, ça pouvait aller ; je réussissais sans conteste à donner du plaisir, à faire jouir, mais je n'ai jamais ressenti de véritable désir que pour des hommes. Et j'ai dû finalement accepter l'évidence que j'avais longtemps refusée. Je suis irrémédiablement, irréductiblement homosexuel. Je suis gay, voilà.

— N'empêche, tu es magnifique. Une perte inestimable pour les femmes.

— Merci pour le compliment, mais les femmes n'ont jamais perdu quoi que ce fût puisqu'en aucun temps, je ne leur ai été réellement acquis.

— Je serais plus à l'aise si tu mettais une chemise.

Frédéric se leva pour répondre au souhait de sa voisine.

— Par la même occasion, tu pourrais enfiler un slip. Ton pantalon est si fin qu'il dévoile plus qu'il ne cache.

— À vos ordres, Mademoiselle !

— À tes ordres ! exigea Caroline.

— À tes ordres, répéta Frédéric.

Ainsi naquit une nouvelle amitié. Caroline, dont le rêve le plus cher était de devenir enquêteuse, s'était forgé un plan d'action. Elle flatta d'abord l'ego de Frédéric en lui posant des questions sur son travail. Elle le mit à son aise et le fit boire plus qu'il n'en avait l'habitude. Pour connaître les détails entourant l'affaire Roxane, elle réussit l'exploit de soûler Frédéric, l'emmena insensiblement dans un état inhabituel pour lui de doux abandon. Sous le serment du secret absolu, elle finit par tirer les vers du nez de ce cher Apollon dont elle devait faire cependant le deuil érotique. Plus tard, ils mangèrent ensemble. Frédéric, un peu mal à l'aise, se dégrisa. Il conserva toutefois sa nouvelle bonne humeur. Il se targua d'être un hôte hors pair. Il servit les restants d'un bœuf braisé qu'il avait fait quelques jours auparavant ainsi que des haricots verts. Elle insista pour l'accompagner, plus tard dans la soirée, au spectacle de travestis auquel participait le fils de Roxane, Dany Sainclair.

17

Caroline mettait les pieds pour la première fois dans une boîte de nuit du genre
où allait se produire Dany. Une odeur âcre
de fumée lui raclait la gorge. Des hommes
surtout, qui se toisaient plus ou moins discrètement, buvaient leur bière ou leur drink
préféré. Ceux qui parlaient devaient crier ou
souffler dans l'oreille de leur vis-à-vis. Il y
avait des couples, mais beaucoup de chas-
seurs de tête en quête d'une aventure d'un
soir ou d'une vie. Curieux endroit de ren-
contres, où communiquer était si difficile. Il
était vingt-deux heures quarante-cinq, soit
quinze minutes avant le début du spectacle.
Un serveur au tronc dénudé, sûrement abon-
né au *Nautilus* du Village, épilé et luisant, vint
prendre les commandes. Caroline prit un
martini et Frédéric, un *piña colada*. Malgré
le minois sympathique de sa voisine, il se demandait s'il avait bien fait de venir en sa compagnie. Les mâles qui ne le connaissaient pas
et qui étaient dignes d'intérêt s'empêche-
raient de l'approcher. Un jeune homme seul,
debout dans un coin, un verre à la main, lui

plaisait énormément. Cheveux noir corbeau, cils courbés et allongés au khôl, yeux bleu clair. Il le regardait quand Caroline lui effleura la main pour détourner son attention vers la scène où s'amenait la présentatrice haute en couleur. En stature également, car l'homme femme était coiffé d'une pièce montée en nid d'abeille à torsades multiples tenues par de jolis rubans de soie aux teintes pastel. De petits papillons sertis de pierres faussement précieuses donnaient de la majesté à l'imposant étalage. Les paupières turquoise se déployaient avec une douceur parfaitement étudiée ; les lèvres peintes fleur de cerisier tremblaient sensuellement, comme agitées par un vent printanier. Soudain, les premières notes d'une valse-boston s'extirpèrent d'un horizon lointain, et une voix veloutée, tout en roulades, émergea, celle de Damia, dans un succès de 1931: *On ne lutte pas contre l'amour*. L'atmosphère était irréelle. Subitement, la musique dansante de l'heure s'était tue. L'an 2003 refluait. Et l'auditoire, loin d'être agacé par ce revirement, éprouvait au contraire le sentiment d'un dépaysement apaisant. On se complaisait dans ce kitsch reposant, dans cette poésie surannée de music-hall où les mouvements du cœur s'exhalaient sans honte. Le refrain rythmait les cœurs nostalgiques :

On ne lutte pas contre l'amour

Nul à son appel ne reste sourd
On veut se défendre
Trop grand est son pouvoir
On se laisse prendre sans même le vouloir.

Quand la chanson fut terminée, les applaudissements fusèrent, désordonnés et parsemés de rires ou de larmes. Caroline découvrait un nouveau continent. Frédéric regardait du coin de l'œil sa protégée. Elle observait avec attention les soubresauts expressifs animant les visages de cet auditoire abandonné volontiers aux voltiges pathétiques d'une chanteuse depuis longtemps disparue. La présentatrice, qui venait d'incarner Damia, prit la parole.

— Bienvenue à tous à cette soirée de music-hall français. Mes mignons adorés, les semaines se suivent et ne se ressemblent guère. Si samedi passé s'est déroulé sous le signe de la joie, un terrible événement est venu assombrir le ciel de notre troupe de starlettes. Ce soir, notre Raquel Walsh nationale, encore trop émue, trop ébranlée, ne chantera qu'une seule chanson. Je l'accompagnerai au piano ; la tâche n'est pas sans difficulté. Servir une diva de cette envergure n'est pas de tout repos, parole de Garcia. Voici donc sous les traits de Marlene Dietrich, la seule, l'unique, l'irréductible Raquel Walsh.

Dans un halo de lumière blafarde, elle surgit, toute de noir vêtue. Une mélodie poi-

141

gnante s'échappa du piano, où Garcia s'appliquait remarquablement. Puis, la voix chaude et granuleuse de Dany, empreinte d'une vive émotion, entonna les paroles de la chanson :

Dans le sable du désert
Sur les dunes de la mer
Et tant pis, si tu te perds
Cherche la rose.

Frédéric s'en voulait d'être ému. Que dire d'un enquêteur de police submergé par ses émotions à la simple écoute d'une chanson ? Qu'en avait-il à foutre après tout ? Il sentit la main de Caroline glisser sur son dos. Il en éprouva une espèce de réconfort. Quand Raquel Walsh eut terminé la meilleure prestation de sa vie, l'assistance resta figée le temps de quelques secondes, comme forcée à un recueillement admiratif. Puis, les bravos firent cavalcade alors que la lumière s'amenuisait sur Dany se prosternant devant son public fidèle, victorieux dans sa souffrance ostensible. Il se redressa et un sourire sembla s'esquisser sur ses lèvres rouges, puis il disparut comme s'il n'eût été qu'une ombre passante. Frédéric signala à Caroline qu'il rentrait. À sa grande surprise, il vit la main de celle-ci dessiner dans l'air enfumé un au revoir amical. Il la laissa à elle-même. Il avait pensé interroger de nouveau Dany, mais le sentiment troublant de sa détresse, la pré-

sence de Caroline et, pour tout dire, son intuition de faire fausse route l'en avaient dis-
suadé. Peut-être cependant que ce Dany
n'était qu'un superbe comédien qui agissait
dans le plus grand intérêt de sa sécurité et
qu'il était floué par sa sensibilité. Frédéric
était hésitant et fatigué ; il quitta le cabaret.
Chez lui, il s'empressa de se coucher, malgré
le doute qui l'assaillait. « Le sommeil est ré-
parateur, se disait-il, demain j'y verrai plus
clair. »

18

Le lundi matin 26 mai, au bureau de la police, dans une salle de réunion sans rien de distinctif, le chef, Raoul Laplante, se présenta, le dos bien droit, le nez relevé, l'air fier. Il avait cinquante ans, se teignait les cheveux depuis qu'il avait constaté que des pousses blanches minaient le blé blond de sa chevelure encore épaisse. Frédéric et Bernard étaient déjà arrivés ainsi qu'une représentante du laboratoire d'analyse toxicologique de l'édifice Wilfrid-Delorme, l'aguichante Aïcha, pour qui sans doute le maquillage et la manucure n'avaient nul secret. Laplante ouvrit la séance.

— Comment s'entendent nos deux jeunes enquêteurs ?

— À merveille, répondit immédiatement Frédéric.

— Je crois que votre petite visite chez Dany n'aura pas été inutile.

— C'est à propos du Dukoral, je suppose, ajouta Bernard, qui avait étalé sur la table les photos prises chez Dany.

— Aïcha a quelque chose d'intéressant à vous apprendre.

— Nous sommes tout ouïe, enchaîna Frédéric.

— Eh bien ! Messieurs, le Dukoral est un vaccin inactivé se prenant par voie orale. Il est conçu pour éviter les désagréments de la diarrhée aux voyageurs ou pour protéger du choléra. Il se prend en deux fois. C'est un agent d'immunisation active.

— C'est pour les sidéens ? demanda Bernard.

— Je n'ai pas trouvé de renseignements pouvant me laisser croire que ce vaccin soit utilisé par les sidéens. Chaque dose de vaccin est fournie avec un sachet de bicarbonate de sodium en granules. Ce bicarbonate doit être dissous dans environ 150 millilitres d'eau, après quoi il faut y ajouter une fiole du vaccin à proprement parler. Il faut répéter l'opération à une semaine d'intervalle pour assurer l'efficacité immunisante.

— N'y aurait-il pas un détail plus important à mentionner, Aïcha ? À la mine triomphante que tu as, il semble bien que tu nous fasses poireauter en nous étalant tes connaissances.

Laplante fit signe à Aïcha d'aboutir.

— Les granules de bicarbonate de sodium sont parfumés à la framboise.

— On a trouvé notre coupable ! s'exclama Bernard.

— Faut pas s'emballer comme ça. Il s'agit tout au plus d'une coïncidence troublante. Peut-être que Dany se prépare tout simplement à partir en voyage. Dis-moi, Aïcha, l'arôme de framboise utilisé dans le Dukoral est-il naturel ou artificiel ?

— Le *Compendium* que j'ai consulté et la documentation offerte sur l'Internet ne mentionnent en aucun cas qu'il s'agit d'un arôme artificiel.

— Il faudrait s'en assurer, car un choc anaphylactique ne pourrait être provoqué que par un arôme naturel.

— Il me semble, soutint Aïcha, que l'entreprise qui distribue le médicament a tout intérêt à donner une information exhaustive et exacte. Tout de même, je m'en assurerai. Je contacterai qui il faut pour éliminer tout doute possible.

— Vous allez retourner chez Dany, lança un Laplante soudainement inquiet en regardant Frédéric et Bernard, pour savoir s'il a des projets de vacances en terres lointaines.

C'est alors que, coup de théâtre, une secrétaire s'amena abruptement. Les regards se tournèrent vers elle. Pendant une seconde, elle garda un silence lourd, puis elle le brisa de sa voix toute fébrile.

— Je viens de recevoir un appel étonnant. Un photographe dit posséder des photos qui pourraient compromettre grandement monsieur Bertrand Bellavance.

— Dites-lui de venir ici sur-le-champ, ordonna Laplante. Je l'accueillerai dans mon bureau. Vous deux, continua-t-il, en fixant du regard ses deux enquêteurs, faites ce que je vous ai dit.

19

Dans la voiture qui avançait sous les branches ployées des grands érables tendrement verdoyants, Bernard arborait un sourire de satisfaction narcissique. D'abord, il était ragaillardi par une fin de semaine émoustillante que son fils n'avait pas gâchée, pour une fois, par des pleurs perçants. Sa virilité était flattée ; il se réjouissait que sa femme se fût montrée plus qu'entreprenante dans le creux de l'alcôve ; il en éprouvait un sentiment réconfortant de force brute. En outre, il s'allouait un mérite indéniable pour son inspection révélatrice, croyait-il, de la pharmacie de Dany Sainclair. Il espérait même accroître la considération dont il pouvait bénéficier auprès de ses supérieurs et de son collègue immédiat.

— Je suis sûr que ce Dany a tué sa mère, pavoisa-t-il, faisant fi des remarques antérieures de Frédéric.

— Pourquoi ? Tu tuerais la tienne, toi ?

— Elle devait avoir le magot, la maman star, depuis le temps qu'elle chantait.

— La vie coûte cher. De l'argent, elle n'en avait sans doute pas autant que tu le crois. Et puis, on dépense toujours proportionnellement à ses moyens et même au-delà.

— Elle avait une splendide maison à Westmount. C'est quand même un quartier plus cossu que celui du Plateau Mont-Royal.

— Blablabla.

— Nous verrons bien qui a raison.

— L'important, Bernard, ce n'est pas d'avoir raison, c'est de savoir raisonner.

Frédéric sonna à la porte du logement de Dany. Un jeune homme au teint mat et aux traits fins, vêtu d'un peignoir de soie rose, répondit.

— Nous voulons parler à Dany.

— Il n'y a pas de Dany ici.

— À Raquel Walsh alors.

— Non plus.

— Où est-il ?

— En Amérique du Sud, pour une tournée des boîtes de nuit les plus branchées. Je lui ai donné un cours accéléré d'espagnol. Il est vraiment doué pour les langues. Je vous ai vu samedi soir, monsieur. Je me souviens de vous.

— Vous êtes ?

— Garcia. Dany est parti peu après le début du spectacle d'hier pour s'envoler vers New York, où il a dû prendre un autre vol à destination de Buenos Aires. Il commet par-

fois des bêtises, mais il a bon cœur. Vous nui-
sez à votre enquête en le soupçonnant.

— Vous me permettrez d'en juger par
moi-même.

— Dany se doutait bien que vous pas-
seriez de nouveau. Il a laissé une enveloppe
pour vous.

— Donnez-la-moi !

— Ne vous impatientez pas, mon beau !
Je vais la chercher.

Garcia remit à Frédéric une enveloppe de
couleur jaune citron. Il en retira une lettre
écrite à la main. Une analyse calligraphique
sommaire révélait d'emblée une grande ner-
vosité. Les lettres mal formées s'enchaînaient
chaotiquement.

Monsieur l'enquêteur,

*Je m'excuse, j'ai oublié votre nom. Je suis
parti. Ce voyage était prévu depuis longtemps. Je
ne voulais pas que ma tournée en Amérique latine soit compromise. Ma mère n'aurait pas fait
autrement. Et ménagez, s'il vous plaît, les amis
qui m'ont aidé à réaliser mon rêve de diva. Ils
ne sont pas complices. Je ne suis pas coupable.
Je ne fuis pas. Je veux vivre ma vie à fond, ne
pas laisser passer ma chance. Je ne veux pas être
un perdant. Je ne veux pas mourir avant d'avoir
vécu. Si votre adrénaline, vous l'avez en traquant
les criminels, moi, je l'ai en faisant frémir les cœurs
de mes admirateurs. Ce sont pour la plupart des
laissés-pour-compte, mais je les aime et eux, ils*

*me le rendent bien. Je vous souhaite sincèrement
de trouver le coupable. On se reverra un jour.*

Dany

— Il voulait rester maître de sa destinée,
ne pas se laisser ballotter au gré des vents
mauvais, expliqua Garcia. Son départ était
planifié depuis longtemps.

— Et le meurtre de la mère ? demanda
intempestivement Bernard.

Frédéric commanda la modération à son
collègue d'un geste discret, pour ne pas frois-
ser sa susceptibilité d'homme viril. Puis, il
reprit son interrogatoire.

— Savez-vous si Dany a suivi un traite-
ment médical particulier avant de partir ?

— Un vaccin contre la diarrhée. Il risquait
gros en prévoyant s'aventurer dans des pays
comme le Pérou ou la Bolivie. C'est moi qui
le lui ai fait penser.

— Bien ! Si vous avez des nouvelles de
Dany, j'aimerais que vous m'appeliez. Voici
ma carte.

Sitôt cette courte visite terminée, Frédéric reçut sur son portable un appel de Laplante. Ce dernier le convia à prendre connais-
sance de photos assez salées. Tout au long
du retour au bureau, Bernard afficha une
moue renfrognée, persuadé qu'il avait loupé
un assassin désormais en cavale. Son désenchantement s'accrut encore quand Aïcha les
intercepta avant leur entrée dans l'aire de tra-

vail de Laplante. Elle les apostropha humblement, la mine un peu basse, ayant l'air cependant empressée de faire un aveu libérateur.

— Quelle gueule tu as ! glissa Frédéric avec un brin de malice tempéré par une sympathie spontanée envers l'espèce humaine.

— Je voulais vous dire que j'ai contacté *Sanofi Pasteur* qui distribue le Dukoral au Canada. On m'a assurée que l'arôme utilisé pour parfumer les granules de bicarbonate de sodium était artificiel. En clair, ce composé médicinal ne peut pas être en cause dans le décès de Roxane.

— Je trouve quand même louche le départ à la sauvette de Dany Sainclair, dit promptement Bernard, par dépit.

— Pour l'instant, allons nous rincer l'œil dans le bureau du directeur, ordonna Frédéric, sur un ton faussement naturel.

20

Laplante n'était pas seul. Devant lui, il y avait un homme dans la mi-trentaine, rondouillard, qui émaillait son faciès bon enfant d'un embryon de sourire. Sa chevelure châtaine apparemment épaisse était tapie sous une casquette de baseball à l'effigie des *Expos* de Montréal. Ce couvre-chef, suivant une mode juvénile, avait été enfoncé visière inclinée vers la nuque. La jovialité naturelle du photographe transparut quand il prit l'initiative de la parole.

— Bonjour, messieurs ! dit-il en tendant la main à Frédéric, puis à Bernard.

Laplante sembla frustré de ne pas avoir le premier rompu le silence. Il procéda avec empressement aux présentations d'usage et pressa chacun de s'asseoir tout autour de sa table de travail, qu'il désencombra avec un peu de brusquerie. Il étala bientôt un banquet pornographique dont se régala surtout Bernard. Le photographe s'appelait Michel Garnier. Il exerçait sa profession pour des particuliers en quête d'une vérité douloureuse, surtout pour des clients masculins, qui espéraient malgré tout que leur doute se révélerait infondé. Monsieur Bertrand Bellavance lui avait confié une mission délicate, soit d'accomplir un véritable travail de filature. Il devait photographier Roxane et son supposé amant en situation compromettante si l'occasion, redoutée, se présentait. Au fond, monsieur Bellavance voulait savoir si une relation de nature intime existait entre cet homme mystérieux apparemment ecclésiastique, dont une photo floue avait paru dans un journal à potins, et sa bien-aimée, la femme qu'il adorait plus que tout au monde, et pour qui, avait-il dit, il eût été prêt à tout abandonner. Il ne réclamait de sa dulcinée qu'une seule chose : la sincérité absolue du sentiment amoureux, le seul rempart restant contre la brutalité prosaïque du quotidien. Michel Garnier s'écoutait parler pour s'assurer d'une brillante prestation. Il prenait au sérieux son témoignage, pour ne pas dire sa dénonciation, faisant de toute évidence des efforts méritoires pour se rappeler avec exactitude les propos de Bertrand Bellavance. Qu'est-ce qui avait bien pu motiver son désir de venir au secours de la police ? D'abord, la crainte d'être pointé éventuellement comme complice de celui qui avait un motif flagrant de vengeance. Du coup, sa participation à résoudre l'affaire Roxane le mettrait sur la sellette et immanquablement son talent de faiseur d'images serait reconnu. Il espérait tout naturellement recueillir sous peu les fruits de sa probité effective. Il avait toujours rêvé de faire carrière au sein du SPVM, au Service d'identité judiciaire, en tant que croqueur avisé de scènes de crime. Il s'appliquait à répondre avec une extrême minutie à toutes les questions qui lui étaient posées et donc à se mettre en valeur. La chasse aux photographies n'avait pas été de tout repos. Ne reculant devant rien, il s'était posté maintes fois, par temps froid et humide, au sommet d'un clocher sinistre dans le dessein d'obtenir une vue optimale sur la chambre à coucher de l'homme à la robe noire. Garnier, hâbleur prudent, se gardait d'expliquer la complicité indispensable du bedeau de l'église Saint-Germain et la nécessité de transpercer un panneau à claire-voie pour orienter parfaitement l'objectif de son appareil photo ; ce bricolage constituait sans l'ombre d'un doute une infraction gravissime : la détérioration d'un bien du patrimoine religieux national. Il mit plutôt l'accent sur sa compétence de photographe en évoquant l'arsenal judicieux auquel il avait eu recours pour obtenir une qualité d'image incomparable : pellicules ultrasensibles, lentilles approchantes d'un genre nouveau, logiciel d'amélioration de l'image. En somme, il s'était surpassé pour donner pleine et entière satisfaction à son client. Il fallait bien se montrer malin et s'adapter aux circonstances, fussent-elles des plus défavorables. Chez Roxane, il n'avait pas pu prendre de clichés intéressants, cette dernière ayant toujours pris bien soin de fermer hermétiquement tout accès visuel à sa chambre à coucher. Pour Laplante, admirateur secret de Roxane, un certain malaise surgissait à la vue de cette gloire défunte en train de faire une pipe à un homme qui portait le col romain. Les images parlaient avec éloquence ; la star, malgré sa jeunesse perdue, n'hésitait pas à prendre des positions acrobatiques qui la hissaient d'emblée au rang de fervente adepte du *Kâma Sutrâ*. En même temps, il y avait un certain privilège à voir de près ses seins dodus, son entrejambe fièrement abandonné, et tous les recoins secrets de ce corps avide de sensations fortes. Laplante éprouvait par ailleurs un sentiment confus de convoitise. Il en voulait inconsciemment à cet amant insolite sur lequel Frédéric avait mis rapidement un nom, celui de Rémi Fichu. Michel Garnier confirma du reste l'identité. Il fournit en outre l'adresse de l'amant évincé le jour même du meurtre et se défendit par la suite d'avoir mis un terme à son serment de confidentialité envers son client, monsieur Bellavance ; mais, expliqua-t-il, son désir de servir l'intérêt de la justice était prioritaire. Les trois mousquetaires s'appliquèrent à écouter courtoisement le baratin du vertueux délateur. À la suite de quoi, compte tenu du travail à abattre, Michel Garnier fut invité, après les remerciements d'usage, à prendre congé de l'équipe des enquêteurs.

Frédéric et Bernard voulaient se précipiter chez l'antiquaire censément outragé afin de le confondre. Laplante proposa de différer la rencontre ; en attendant que les funérailles de Roxane eussent lieu, il placerait des agents pour surveiller ses moindres faits et gestes. Quant au corps de la vedette assassinée, il serait remis très bientôt au salon funéraire Magel Bougie.

Laplante avait d'autres photos à présenter : celles de Roxane sans vie.

21

— J'ai étudié attentivement ces clichés. Je n'y constate rien de très particulier. Cependant, poursuivit Laplante, en retirant du lot une photo qui présentait une vue rapprochée du buste, on peut s'attarder à la broche que vous voyez là. Lors des témoignages, Nathalie Chagnon a précisé qu'il y avait eu un incident juste avant l'entrée sur scène de Roxane. Celle-ci aurait menacé, à la dernière minute, d'annuler le spectacle si sa broche n'était pas retrouvée. Il semble qu'elle ait disparu de la loge un certain temps. Selon la version de Sylvie Boisjoli, la régisseuse, Roxane l'aurait simplement oubliée dans la poche de son manteau.

Pendant que Laplante s'interrogeait sur l'importance à accorder à cet incident, Frédéric examinait attentivement la photo. Il demanda une loupe. Laplante la lui tendit.

— Regardez ! Sur le côté droit de la pierre centrale, il manque une perle ! On l'a retrouvée ?

— Pas que je sache ! Le Service d'identité judiciaire m'en aurait informé.

— Et cette Nathalie Chagnon n'a pas évoqué cette lacune ?

— Ce détail n'a peut-être pas l'importance que vous y accordez, laissa tomber Bernard. La perle était peut-être déjà perdue depuis longtemps.

— En tout cas, l'emprise du trac aura pu empêcher Roxane de s'apercevoir de la disparition de l'une des perles de sa broche, répliqua Frédéric, piqué au vif par la suffisance de son assistant.

— Messieurs, la suite de l'enquête pourra nous éclairer sur l'importance de ce détail. J'aimerais pour l'instant que vous rendiez visite à monsieur Rémi Fichu. Je vous donne l'adresse. Je vais demander à ce qu'on vous trouve son numéro de téléphone.

— Et s'il n'est pas là ? demanda Bernard.

— Attendez qu'il arrive !

Rémi Fichu habitait dans un grand immeuble de la rue Vincent-d'Indy dont la façade donnait sur le flanc ouest de l'église Saint-Germain d'Outremont. Quelques vitraux, dont la beauté n'était visible que de l'intérieur par l'effet magique de la lumière pénétrante du jour, ponctuaient, en alternance des contreforts, les pans de mur de pierres blanchâtres de la nef austère. Dans l'immeuble moderne qui surplombait l'église, Fichu se payait peut-être le luxe d'un nid de nature profane pour l'accomplissement de ses ébats foncièrement anticléricaux.

Dans le hall de marbre vert de l'immeuble, Frédéric repéra sans peine le bouton de l'interphone donnant accès à l'appartement de Fichu. Il le pressa, attendit quelques secondes.

— Il n'est pas là, dit Bernard. Allons faire le guet dans la voiture.

Sur le point de baisser pavillon, Frédéric et Bernard entendirent les vibrations synthétiques d'une voix rauque et faiblarde :

— Oui, qui est là ?

— Nous sommes deux enquêteurs du SPVM. Nous désirons vous poser quelques questions en rapport avec le meurtre de Roxane. Nous sommes à la recherche d'éléments qui nous permettraient d'y voir plus clair.

Un silence pesant suivit. Frédéric et Bernard se regardèrent, perplexes. Puis, le signal strident qui accompagnait le déverrouillage électrique de la porte d'entrée rompit l'expectative. Ils franchirent le seuil de l'entrée. Des rhododendrons et des ficus se disputaient la lumière s'engouffrant par les vastes baies vitrées. Ils se dirigèrent vers l'ascenseur. Comme ils s'apprêtaient à y pénétrer, deux retraités aux blancs cheveux en sortirent. Une fois les portes refermées, Bernard se sentit rapidement mal à l'aise, l'espace clos et réduit de l'ascenseur ayant toujours pro-

duit cet effet sur lui. En outre, un relent d'ho-
mophobie latente accentuait peut-être, à son
insu, sa tension artérielle :

— Le Québec vieillit, risqua-t-il, afin de
se jouer de son malaise inavouable.

Frédéric se tut. L'ascension fut pénible.

Quand Rémi Fichu, visiblement éméché,
apparut dans l'embrasure de sa porte, il portait une soutane noire déboutonnée, sous laquelle il semblait nu. Une odeur de vin fer-
menté s'exhalait de son haleine et importuna
les narines de Frédéric et de Bernard.

— Nous vous avons tiré du sommeil ?
demanda Frédéric.

— Je cuvais mon vin. Je suis submergé
par une douleur atroce.

Après les présentations d'usage, Frédéric sollicita un entretien en bonne et due forme
et préférablement en position assise. Fichu
invita ses deux visiteurs, d'un geste de la
main, à prendre place dans le canapé de velours vert bouteille du salon. Quelques rayons
de soleil s'immisçaient au milieu d'un décor
surréel. L'œil le moins perspicace ne pouvait
éviter de voir la multitude des témoignages
d'un admirateur captif de sa passion. Les
murs étaient en effet méthodiquement cou-
verts de photos de magazines représentant
Roxane à divers moments de sa carrière.
Toutes jouissaient d'un encadrement soigné.

Frédéric, sans montrer son étonnement, entreprit sa quête de vérité.

— Vous aviez bien une liaison avec Roxane, n'est-ce pas ?

— Une relation amoureuse, je vous prie d'être exact.

— Quel âge avez-vous ?

— Quarante-cinq, répondit-il au ralenti. Si vous n'avez pas de questions plus intéressantes que celle-ci, continua-t-il, partez !

Ses yeux bleus se mouillèrent, des larmes chatoyèrent dans un fuseau de lumière doré. Frédéric prit le parti de ne pas brusquer indûment le suspect.

— D'après vous, que s'est-il passé ?

— D'abord, je tiens à vous dire que j'aimais follement Roxane. Je ne me remettrai jamais de son départ hâtif. Il est vrai qu'elle m'avait déjà quitté avant même de partir pour l'au-delà.

— Vous pouvez nous éclairer ?

— Elle m'a renié, alors que je déposais mon cœur à ses pieds.

Fichu parvenait mal à contenir sa peine. Il expulsait avec douleur chacune de ses paroles.

— Je voulais qu'elle devienne ma femme, poursuivit-il. J'ai fait une erreur immense, je n'aurais pas dû.

— Quelle erreur ?

Le téléphone sonna. Fichu resta figé, l'air hébété.

— Vous répondez ?

Fichu se leva sans mot dire et décrocha le combiné du téléphone.

— …

— Non !

— …

— Je retournerai au travail quand je pourrai.

— …

— Vous pouvez bien vous passer de moi pendant une petite semaine.

— …

— Si je m'en sens capable, je t'appelle.

— …

— Fais les achats qui te plairont.

— …

— Salut !

Ainsi, ce Rémi Fichu œuvrait dans le domaine du négoce.

— Vous êtes commerçant, alors ?

— Pas du tout ! Vous êtes franchement nul. Je suis acheteur à la Phonothèque. C'est d'ailleurs là que j'ai découvert un trésor fabuleux en la personne de Roxane. Plus j'en apprenais sur ses exploits artistiques, plus j'avais envie de la connaître. J'étais déjà amoureux d'elle avant de l'avoir rencontrée. J'en savais plus que quiconque sur elle.

— Alors, vous n'êtes pas un homme d'église !

— C'est le moyen que j'avais trouvé pour me présenter à Roxane et pour la séduire : revêtir l'apparence d'un homme de foi. C'est un article du magazine *Star pop* qui m'a inspiré cette idée de me travestir en prêtre. Roxane prétendait suivre un nouveau chemin. Elle tentait de rénover sa spiritualité pour donner une dimension plus vraie, plus profonde à l'interprétation de ses chansons. Je savais qu'elle aimait se promener tôt le matin dans le Jardin public Trafalgar, que l'aurore signifiait pour elle la renaissance, le renouvellement. Je l'ai vue, les yeux plongés dans l'horizon scintillant des oriflammes du soleil levant. Elle était belle. Je me suis assis à côté d'elle. Elle a senti l'admiration que j'avais pour elle. Nous avons échangé nos numéros de téléphone. La première fois qu'elle est venue ici, elle a été étonnée de se voir partout sur les murs.

— Elle n'a pas été effrayée ?

— Pourquoi ? Ça flattait son ego. Je lui ai laissé croire que je m'étais résigné aux ordres, ayant compris que Roxane devait être inaccessible. Elle fut troublée, mais, au fond, enchantée. Sa vie était alors un désert affectif, elle n'avait pas d'amant.

— Pas de parents ?

— Si, mais sa mère, qu'elle ne voyait presque plus, commençait à subir les effets d'une maladie incurable. Quant à son frère Jacques, dont la seule véritable passion est le travail du bois, il a toujours vécu tranquillement bien à l'écart de l'univers animé et spectaculaire de sa sœur. Et pour ce qui est des connaissances d'ordre professionnel de Roxane, disons qu'il n'y avait là rien de très chaleureux.

— Où se trouve la mère de Roxane aujourd'hui ?

— À l'hôpital Saint-Luc, où elle est soignée pour un cancer du côlon. Elle n'en a plus pour très longtemps.

— Et comment s'entendait Roxane avec son gérant, ce Ricard ?

— Elle a eu maille à partir avec lui, il hésitait à la produire une nouvelle fois.

— Et pourquoi, pensez-vous ?

— Parce que cet homme est un sans-cœur. Il n'y a pas d'autres explications possibles.

— Et pourquoi Roxane vous a-t-elle laissé ?

— Je croyais qu'elle m'aimait vraiment, mais son attitude a changé après qu'elle eut rencontré ce maudit Bertrand Bellavance. Il l'a séduite avec sa fortune et ses faux airs d'aristocrate. Il représentait sans doute pour elle l'assurance d'une retraite paisible, en cas d'insuccès. Vous pouvez imaginer ! Il lui arrivait de douter d'elle-même. Roxane !

— C'est tout ?

— Elle n'a pas bien compris que je l'aimais plus que moi-même. Un jour, je lui ai dit la vérité, que je n'étais pas un homme d'église, que ma religion, c'était elle. Et je lui ai montré ensuite ma chapelle ardente, où je lui vouais ma tendre adoration.

— On peut voir ?

— C'est la petite pièce qui se trouve derrière vous. Suivez-moi !

Rémi Fichu alla chercher une clé dans un pantalon traînant sur une chaise. Puis, avec des gestes lents, il ouvrit la porte de son monde intérieur. Il révéla sa caverne d'Ali Baba. Frédéric et Bernard furent stupéfaits. Sur un petit autel, acheté sans doute d'une église condamnée, faute de fidèles, trônait une statue de plâtre de la Vierge Marie, qui devait faire environ un mètre cinquante. Elle écrasait du pied une vipère luciférienne, tandis qu'elle ouvrait ses bras à l'humanité souffrante. Sa face, surimposée, était celle de Roxane. Le plus manifestement dérangeant était une photo de sexe féminin collée contre la longue robe bleue de la Vierge à la hauteur du pubis.

— Est-ce le minet de Roxane ? osa demander Bernard.

— Oui ! Sa chatte est magnifique, n'est-ce pas ? Je l'ai prise en photo alors qu'elle sommeillait telle une nymphe angélique dans notre grotte d'amour si précieuse.

Frédéric et Bernard froncèrent les sourcils et commencèrent à craindre pour leur sécurité. Ils n'examinèrent pas à fond la pièce plutôt exiguë qui regorgeait de microsillons anciens, de magazines, de coupures d'articles de journaux. Ils préférèrent en sortir, sous l'emprise d'un malaise diffus. Le genre d'impression qui nous envahit généralement quand l'univers de la normalité semble nous glisser sous les pieds. « Il est fou ! », pensèrent à l'unisson les deux enquêteurs. Ils imaginèrent en cet instant la frayeur sans doute éprouvée par Roxane, qui avait dû s'esquiver par simple esprit de survie. Mais eux, qui étaient au boulot, affronteraient vaillamment le déglingué. Dans l'esprit de Bernard, tout cela était limpide, et ce fut lui, toujours prompt à vouloir débusquer le coupable, qui chargea.

— Je suppose que vous n'avez pas digéré que Roxane vous ait rejeté et c'est pour cette raison que vous êtes allé la voir le jour de sa première afin de fourrer du jus de framboise dans celui aux canneberges. Vous saviez nécessairement qu'elle y était hyper allergique. Avouez !

— Non, c'est faux, totalement absurde ! clama rageusement Rémi, je l'aimais, vous entendez !

Il se mit à pleurer comme un bébé.

— Je crois que ce sera tout pour aujourd'hui, conclut Frédéric.

— Si j'avais été coupable, renchérit Fichu, j'aurais exigé un avocat.

— Vous êtes malin. C'est pour nous faire croire que vous n'êtes pas coupable que, justement, vous n'en avez pas réclamé, ne put s'empêcher de répliquer Bernard.

Le suspect, hors de lui, se mit à tourner en rond comme un tigre en cage tout en chialant :

— Vous n'avez pas le droit de m'accuser ainsi. Je vous ai fait confiance. Je vous ai prouvé que j'adorais Roxane. Et vous me traitez en criminel.

On l'exhorta à s'asseoir dans un fauteuil pour qu'il reprît ses esprits. Il obtempéra, les yeux grands ouverts, l'air renfrogné. Frustré, désespéré, endeuillé jusqu'aux os, dans tous ses états, il fut abandonné à sa détresse, incommensurable.

— À la prochaine, laissa échapper dans un souffle narquois le jeune Bernard dont la morgue méprisante envers autrui énervait Frédéric depuis un bon moment déjà.

Dans l'ascenseur qui retournait au rez-de-chaussée, Frédéric crut bon de sermonner son coéquipier. Bernard s'empressa d'affirmer qu'il ne regrettait pas d'avoir poussé dans ses derniers retranchements le sapristi de cinglé qu'ils avaient interrogé. Comment fallait-il se comporter ? Comme si les suspects étaient des gentlemen ? Frédéric revint à la charge pour réaffirmer le droit de tout individu au respect. Le métier d'enquêteur requérait la maîtrise de ses émotions. C'était l'intellect qui devait s'atteler à débusquer les indices menant à l'arrestation d'un présumé coupable. Bernard n'en revenait pas. De quel droit ce pédé, pensait-il, lui faisait la morale ? Il se prenait pour son professeur d'éthique. Il rageait, mais préférait se taire. Il avait un stage à compléter. Après qu'ils furent sortis de l'immeuble, alors qu'ils s'engageaient sur le trottoir pour se rendre à leur voiture de service, une masse tomba devant eux dans un bruit sourd et sec. Le corps inerte de Rémi Fichu, ensanglanté, s'étalait à leurs pieds. Ce fut alors que Frédéric regretta amèrement de n'avoir pas parlé plus tôt à son assistant présomptueux.

— Dis, tu vas forcer tous les suspects à se jeter par la fenêtre ? lui demanda-t-il. Tu entends encore bien longtemps jouer au cowboy, au justicier du Far West ?

— Tu veux me rendre responsable de la mort de ce désaxé ! lança Bernard, mi-fâché, mi-décontenancé, repoussant le sentiment confus d'une culpabilité qui avait germé en lui.

Puis, il regarda le visage en charpie de Rémi Fichu, recula sur la pelouse qui bordait le trottoir et déglutit. Frédéric consentit intérieurement à lui donner une seconde chance. S'en mordrait-il les doigts ? Il s'occupa des appels à faire de toute urgence. Le corps écrabouillé fut emporté. On couvrit les coulées de sang de sciure de bois pour faciliter le nettoyage. La journée avait été dure. Frédéric obtint pour lui et son collègue un congé jusqu'au lendemain. Tous deux avaient besoin de recul pour se remettre du suicide dont ils avaient été témoins.

22

La sonnette entonna son chant de cigale traquée. Frédéric s'était endormi sur son canapé, sieste inhabituelle où l'avaient mené les dédales d'une réflexion sur la nature humaine. Encore Caroline, tout sourire.

— Cette fois-ci, tu es présentable. Dis donc, la cravate te va à merveille. Mais tu as l'air amorti. Ça t'arrive souvent de dormir en plein jour ?

— C'est plutôt rare.

— Je peux entrer ?

— Fais comme chez toi !

— Je t'ai vu arriver un peu plus tôt et ça m'a intriguée.

— Tu passes ton temps à écornifler aux fenêtres, tu ne travailles pas ?

— Enfin, tu me poses une question sur moi, signe encourageant puisque tu daignes t'intéresser à ma personne.

Frédéric invita sa nouvelle amie à prendre place au salon. Elle parla d'elle. Elle terminait un diplôme d'études collégiales en sciences humaines au cégep de Saint-Laurent. Elle n'avait que trois cours à suivre dans

la semaine. L'indice d'une activité manuelle retint l'attention de Frédéric. Caroline avait
en effet une tache de peinture pervenche sur
la joue droite. Elle venait de peindre sa salle
de travail. Frédéric voulut en savoir encore
plus sur elle. Il apprit qu'elle travaillait une
fin de semaine sur deux, avenue Mont-Royal,
dans une librairie spécialisée dans l'occasion.
Et son père lui versait de temps à autre une
somme qui variait au gré de ses humeurs.
Bref, Caroline était une adulte en devenir, aspirant à cette autonomie libératrice encore
inaccessible étant donné ses faibles sources
de revenus. C'était une brunette élancée aux
traits fins, mais au physique à vrai dire peu
original. Elle rayonnait cependant de vivacité. Ses yeux pétillants et son sourire sincère inspiraient confiance. Sa déception auprès
de Frédéric trouvait compensation dans une
quête d'aventure à peine voilée. Sa curiosité et sa compassion à l'égard de son voisin
flic s'alimentaient à sa volonté d'entrer dans
la cour des grands.

— C'est absolument horrible de voir quelqu'un s'effondrer au sol devant soi ! Je me
demande comment j'aurais réagi.

— On s'habitue à côtoyer les macchabées.

— On a toujours besoin de quelqu'un
pour se confier. Si tu veux, je serai l'oreille
amicale et attentive, tendue pour recevoir tes
confidences.

— Tu sais ce qui me frappe chez toi ?

— Non !

— Ta vitesse à tisser des liens. Sais-tu seulement à quel point l'amitié est un cadeau immense ?

— Je ne suis plus une enfant.

— Ta vie sentimentale me semble bien vide.

— Non, j'ai eu quelques amoureux, mais ils m'ont tous larguée après quelques mois. Il paraît que je suis trop exigeante ou trop casse-pieds, c'est selon. Ce Rémi Fichu, il a fait des déclarations intéressantes ?

— Pas vraiment. J'ai noté dès mon retour ce qu'il a dit, pour ne pas oublier.

— C'est sur la feuille qui se trouve là ? demanda Caroline en pointant la table basse du salon.

— Oui.

— Je peux regarder ?

— Non, il n'en est pas question. C'est contre les règles.

— Tu m'en as dit pourtant déjà passablement.

— En m'enivrant ! Belle méthode !

— Ne sois pas lâche ! Si tu m'as parlé, c'est que tu en avais besoin. Et puis, ai-je trahi ta confiance ? T'ai-je déçu, dis ? Le sang qui coule dans mes veines est celui de l'héroïsme. En te nuisant, je me nuirais à moi-même. Mon destin est lié au tien, je t'en supplie, ne gâche pas tout.

— Je ne suis pas amoureux de toi ! Sapristi ! J'aime les mecs, tu comprends ! Avec une queue !

— Moi, je te parle d'amitié. C'est un sentiment qui transcende la sexualité. C'est quand on marche côte à côte vers un même but, en s'épaulant, en s'encourageant, en se donnant mutuellement de l'énergie.

Frédéric flancha.

— À condition que tout cela reste entre nous, souffla-t-il, après une lourde hésitation.

— Je te le promets solennellement sur tout ce que j'ai de plus précieux, c'est-à-dire mon père et toi.

— N'essaie pas de me charmer, tu sais que c'est parfaitement inutile. Et ta mère, pourquoi ne l'as-tu pas invoquée ?

— Elle est morte l'année dernière d'un cancer des ganglions. C'était une mère merveilleuse. Mais je préférerais ne pas en parler, ajouta-t-elle, les yeux humides.

— C'est bon, regarde la feuille, Caroline.

« Tu ramollis, se disait Frédéric, pourquoi cèdes-tu à la curiosité de cette cégépienne pétulante ? Est-ce bien prudent ? » En même temps, elle lui semblait beaucoup plus brillante que son collègue de l'heure, qu'il avait un peu brusqué en matinée et qu'il trouvait tellement primesautier et dédaigneux. Il y avait une autre raison qu'il ne s'avouait pas : la solitude lui pesait. Caroline saisit avec enthousiasme la feuille convoitée et la parcourut avec un intérêt intense. Sa tête dodelinait, ses lèvres se pinçaient et se tendaient vers l'avant, son regard s'approfondissait ; tout révélait une activité cérébrale accentuée.

— Vous avez interrogé la mère ?

— Elle agonise apparemment. Elle n'est ni témoin ni suspect. Je crois que nous devons cibler nos efforts ailleurs.

— Fascinante tout de même, cette Roxane !

— Tu es bien jeune pour être une de ses fans !

— Vivre sous le feu des projecteurs, être le fruit de la rumeur publique, se sentir célébrée, adulée, enviée... Et disparaître brutalement comme Dalida, Marylin Monroe et Romy Schneider. C'est curieux comme les morts brutales rendent les vedettes plus sympathiques, plus humaines et surtout plus mémorables.

— Roxane ne s'est pas suicidée !

— Qui sait ? Tu n'as pas pensé que c'était peut-être un stratagème désespéré visant à mettre un terme à une pâle fin de carrière, à se propulser dans le firmament des étoiles éternelles ?

— Poétique, mais sans fondements.

— Je lis les journaux à potins depuis le jour de sa disparition. On y apprend bien des choses.

— Quoi donc que je devrais savoir ?

— Que les chansons de son spectacle ont déjà été enregistrées en studio et que le CD devrait sortir comme prévu d'ici un mois ou deux, conformément aux vœux exprimés par Roxane, un jour avant sa mort, sur les ondes de CKPL.

— Mario Ricard s'en occupe, je suppose.

— Précisément. Je me demande à qui iront les profits de la vente.

— À ses héritiers.

— J'ai appris que le testament de Roxane serait rendu public le jour même de son enterrement, conformément à une consigne formulée par la défunte.

— Intéressant, il faudra suivre les événements.

Clodie trouvait-elle insolite la compagnie féminine de son maître ? Se sentait-elle négligée ? Elle bondit sur les jambes de Frédéric, grimpa sur son épaule droite, se lova autour de son cou et ronronna comme pour lui reprocher son infidélité. Quelques caresses la réconfortèrent. Sans doute que si le langage humain avait pu être intelligible à la gent féline, Clodie se serait inquiétée de ce que Caroline allait proposer.

— Tu sais, je n'ai pas de succès en amour, mais je suis une excellente marieuse. Dis-moi quel est ton genre de mec et je te le déniche en moins de deux.

— Je suis capable de m'occuper de ma vie sentimentale. Du reste, je préfère une aventure palpitante, de temps à autre, à la perspective navrante d'une soumission aux contraintes inexorables de la vie de couple.

— Si ma présence t'importune, dis-le-moi !

— Nous ne formons pas un couple, que je sache. Ne t'inquiète pas. Si j'ai besoin de ma précieuse solitude, je n'hésiterai pas à t'en instruire. Pour l'instant, que dirais-tu si on cuisinait ?

— Bon, si ça te plaît. Et que veux-tu concocter ?

— Des galettes de lentilles rouges à l'indienne avec une salade romaine parfumée à la coriandre et au citron vert.

Frédéric et Caroline passèrent la soirée à se faire des confidences autour d'un vin de Cahors velouté et fleurant bon les baies sauvages. Elle était sympathique et l'aidait à oublier la vue de Rémi Fichu se fracassant à l'improviste contre le béton du trottoir. Frédéric ne se doutait pas des répercussions éventuelles de ses indiscrétions. Il croyait n'en avoir pas trop dit, juste assez pour assouvir un besoin naturel d'épanchement.

23

Le lendemain, au quartier général, une mise au point parut nécessaire. Bernard, les yeux cernés, apparemment exténué, s'accusa d'un flagrant manque de tact auprès de ce Fichu affligé et d'une instabilité évidente. Frédéric défendit son collègue dont les fautes de débutant ne pouvaient en aucun cas expliquer le geste fou posé par le suspect fanatique. Bernard se ragaillardit d'être l'objet d'une telle prévenance, dut-elle venir d'un homo. Mais toute expression de reconnaissance se coinça dans sa gorge comme un os de poulet qu'il aurait voulu expulser sans y parvenir. Il se réjouissait cependant de l'effet des paroles de Frédéric sur Laplante qui, apparemment, ne lui tenait pas rigueur de sa vivacité de matador. Le grand chef en était plutôt à s'interroger sur le sens à donner au suicide de Fichu. Était-ce là un aveu de culpabilité ? Ou la conséquence d'une maladie mentale ? Il faudrait savoir, du reste, si Fichu n'avait pas de dossier psychiatrique. Son geste fatal révélait peut-être un désir incoercible de rejoindre Roxane dans l'au-delà ? Ou

l'incapacité d'affronter l'adversité ? Chaque
question nouvelle enlevait un poids sur les
épaules de Bernard. Laplante délaissa Fichu
pour annoncer que le corps de Roxane allait prendre en cours de matinée le chemin
du salon funéraire Magel Bougie et que les
obsèques auraient lieu dès le lendemain
après-midi. Il fallait absolument y assister et
observer, discrètement, ceux qui se ren-
draient à l'enterrement. Laplante attira l'attention sur un élément de l'enquête fort né-
gligé : le contenu du sac à main de Roxane.
On avait trouvé, friponnée sous un attirail de
produits cosmétiques, l'ordonnance d'un
auto-injecteur d'épinéphrine portant une signature tout à fait illisible. Cette découverte
laissait songeur. Pourquoi la chanteuse avait-
elle omis de se procurer la seringue qui lui
eût permis, peut-être, de lui sauver la vie ?
Évidemment, le foudroiement du choc anaphylactique dont elle avait été victime était
tel qu'il eût fallu qu'elle portât l'antidote à
son cou et que son entourage, perplexe, ré-
agît avec plus de promptitude. Peut-être que
dans le tourbillon de ses préoccupations artistiques, elle n'avait tout simplement pas eu
le temps de se rendre à la pharmacie. Pourtant, il suffisait de considérer la nature fière
de Roxane pour savoir que tout ce qui pouvait lui renvoyer l'image d'une faiblesse
quelconque revêtait d'emblée un caractère

pénible, voire répugnant. Roxane s'obligeait à croire qu'elle maîtrisait sa destinée, qu'elle pouvait, à l'affût de tout danger éventuel, éviter pour toujours tout accident fatal. Gisait dans le fond du sac à main le téléphone portable ayant servi à Roxane la journée du meurtre présumé. Hélas ! la compagnie de téléphone, nouvelle sur le marché, agissait en l'occurrence avec maladresse en prétextant un devoir absolu de confidentialité. Comme la facture détaillée des appels devait être acheminée sous peu et que l'opération permettait de ratisser plus large, on réclama un mandat de perquisition pour intercepter l'ensemble du courrier avant qu'il ne pût être livré. Ce mandat fut accordé. Les envois postaux retenus seraient directement détournés vers le poste de police. C'était la solution la plus ingénieuse. Par ailleurs, on avait toujours à l'œil Bertrand Bellavance, reclus chez lui, apparemment endeuillé. Rien à signaler pour l'instant. En attendant, une petite visite à Saint-Jérôme, en banlieue de Montréal, fut envisagée. Nathalie Chagnon, la maquilleuse, y habitait un modeste pavillon aux façades de fausses pierres grises. Même si aucun motif de meurtre ne pouvait raisonnablement lui être prêté, elle avait tout de même participé à la préparation du cocktail de Roxane, le *Fuoco dell'amore*. Laplante termina son exposé avec une pointe de sarcasme :

185

— Allez cuisiner cette femme, mais qu'elle ne s'engouffre pas la tête dans le four à gaz après votre départ ; vous risqueriez d'attirer un peu trop l'attention sur votre travail.

Bernard se contiendrait.

On aurait pu être en banlieue de Boston ou de Seattle : il y avait les mêmes rues asphaltées superbement larges, bordées de trottoirs et de pelouses. Ici, le rêve américain pointait du nez : les haies de thuyas taillées sans art, l'abri d'auto à flanc de maison, la niche de Fido, un ballon oublié... Pas de patrimoine historique à l'horizon. Les arbres plantés, encore jeunes, attestaient de la nouveauté du quartier. On avait pris soin de téléphoner avant de se rendre. Nathalie Chagnon attendait nerveusement les enquêteurs du SPVM. Elle leur ouvrit la porte avant même qu'ils ne pussent sonner. Bernard, encore marqué par l'incident de la veille et par le blâme à peine voilé de son supérieur, se contraignait à la modestie. Il prendrait des notes, une tâche mécanique sans risque.

Le mari de Nathalie, propriétaire d'une petite quincaillerie, était au travail ; les enfants, à l'école. Tout resplendissait de propreté. L'aspirateur venait d'être passé ; la vaisselle séchait dans l'égouttoir ; trois tasses bien alignées sur le comptoir de cuisine témoignaient de voyages mémorables : la première représentait les chutes du Niagara, la deuxième, le château Frontenac du haut de son promontoire et la troisième montrait une baleine au large de Tadoussac expulsant un formidable jet d'eau. Bernard et Frédéric furent invités à prendre place autour d'une table carrée consacrée ordinairement au labeur du cordon-bleu régnant sur le foyer. Une nappe fleurie, toute fraîche, avait été mise. Nathalie ne manquait certes pas de savoir-vivre. Elle pensa, bien entendu, au remplissage de ses tasses.

— Vous allez boire du thé ou du café ? J'ai aussi de la tisane à la menthe poivrée.

— Moi, je prendrai une tisane, dit Frédéric.

— Et moi un café noir, enchaîna son collègue.

Nathalie s'activa à préparer les boissons, un peu fébrile, un sourire en coin, n'osant d'abord pas réclamer d'explications sur la visite de ces deux représentants de la police. Cependant, le silence devint bientôt insupportable ; elle le brisa comme si un membre de sa parenté s'était présenté chez elle.

— Quel vent vous amène ? souffla-t-elle brusquement, ayant soin de faire disparaître de sa question l'épithète *bon*, qui eût paru sans doute déplacée.

— Le vent de la mort, s'amusa à répondre Bernard.

— Vous me glacez les os. Oui, évidemment, Roxane nous a quittés. Une sortie pour le moins théâtrale, en plein devant ses admirateurs. Elle a fait comme dans la chanson de Dalida.

— Quelle chanson ? s'exclama spontanément Bernard dont la culture s'était plutôt nourrie au terreau anglo-saxon.

— *Je voudrais mourir sur scène*, fredonnat-elle.

— Pourquoi dites-vous cela, madame Chagnon ? Vous ne pensez pas qu'elle se soit suicidée tout de même ?

— Je retourne sans cesse les événements dans ma tête et je n'arrive pas à comprendre ce qui s'est passé. J'ai soupçonné tour à tour le fils, le fiancé et même Sylvie. Mon Dieu, si elle m'entendait, qu'est-ce qu'elle penserait ? Après, je me dis que ce n'est pas possible. Vous savez que Dany était venu dans l'après-midi pour quêter de l'argent à sa mère. Il y a eu une altercation.

— Qu'avez-vous entendu au juste ?

— « J'ai besoin d'argent pour ma tournée ! Je t'en supplie, aide-moi ! Je suis ton fils, je veux suivre tes pas, faire une brillante carrière, comme toi. » Enfin, j'emploie à peu près les mots que j'ai entendus. Et Roxane était hors d'elle. Elle lui criait de foutre le camp, qu'elle en avait plus qu'assez d'être la vache à lait d'un fils qui essayait de la concurrencer en portant des petites culottes et des talons aiguilles. Dany a éclaté en sanglots, l'a conjuré au nom du lien sacré qui les unissait de ne pas le laisser tomber. Entre-temps, j'avais alerté la sécurité parce que j'avais peur que Roxane fût complètement déstabilisée juste avant son entrée sur scène. Et ce moment-là était vraiment trop important dans sa vie pour risquer de le compromettre.

— Que pensez-vous de Dany ?

— Je n'en pense rien, répondit Nathalie, qui ne voulait pas commettre de gaffe.

— Bon, Nathalie, soyons sérieux, vous me permettez de vous appeler par votre prénom ?

— Oui, bien sûr. Bon d'accord, je vais vous dire le fond de ma pensée. Je crois que ce Dany avait des problèmes à revendre côté identité. Il voulait se substituer à sa mère, être, comme elle, adulé, photographié, célébré. En ce sens, il avait besoin d'éliminer celle qu'il voulait remplacer, dont il convoitait la destinée. D'accord, c'était un travesti, mais, bon, il y a des femmes criminelles, pourquoi pas des travestis ?

— Alors, vous croyez qu'il n'était pas suffisamment intelligent pour comprendre qu'il se retrouverait derrière les barreaux plutôt que sur scène en précipitant sa mère dans l'autre monde ?

— Je me demande à quel point cet être bizarroïde vit sur terre. Dans le *Journal des*

Stars de ce matin, c'est écrit noir sur blanc que Raquel Walsh s'est esquivée en Amérique du Sud. Si ce n'est pas un aveu de culpabilité, je me demande bien ce que c'est.

— Et vous ne soupçonnez plus monsieur Bellavance, ni Sylvie ?

— Aucun d'eux n'a pris la fuite, que je sache.

— Qu'est-ce qui vous fait penser que monsieur Bellavance pourrait être coupable ?

— C'est la visite d'un prêtre fou d'elle la journée où Roxane allait donner son spectacle. Je ne veux pas mal penser, mais à mon avis, leur relation était moins fictive que ce que Roxane voulait nous faire croire. Elle entendait se débarrasser de cet homme parce que monsieur Bellavance est naturellement un bien meilleur parti. Un homme élégant, qui a de la conversation, galant en plus.

— Pourtant, vous avez dit l'avoir suspecté !

— J'ai cru un moment qu'il pouvait être au courant d'une éventuelle relation entre Roxane et le prêtre éploré, qui semblait vraiment désemparé, pour ne pas dire hystérique.

— On vous croit, dit machinalement Bernard avant de baisser la tête et de recouvrer sa fonction de scribe.

— Et Sylvie ! Vous êtes son amie ? poursuivit Frédéric.

— On travaille parfois ensemble, sans plus. Je crois malheureusement qu'elle est, sous ses airs de bonne fille serviable, foncièrement hypocrite et envieuse. Quand, par exemple, je lui parle de mes spectacles dans les brasseries de la région, quand je lui dis comment je suis appréciée dans les mariages, que partout on louange ma voix, c'est comme si chaque fois je désirais lui enlever quelque chose. C'est vrai qu'elle s'est déjà essayée à la chanson et que sa carrière a fini en queue de poisson ; mais ce n'est pas une raison pour en vouloir éternellement au reste de l'humanité. Puis, si elle peut m'envier, moi, imaginez ce qu'elle pouvait ressentir face aux innombrables succès de Roxane. Cette femme-là, c'est une bombe ambulante. J'exagère sans doute. C'est affreux comme je dis du mal de mon prochain. Que Dieu me pardonne !

— Dieu est infiniment bon, dit-on, vous en avez de la chance ! Et vous, Nathalie, vous n'étiez pas envieuse vis-à-vis de Roxane ?

— Non ! protesta vivement Nathalie. J'ai tous ses microsillons, ses disques compacts, ses DVDs. J'ai aussi une grande affiche d'elle dans ma chambre à coucher. Venez voir !

Nathalie Chagnon se leva et s'ébranla sur le chemin de l'image sainte. Frédéric et Bernard lui emboîtèrent le pas. À l'évidence, le kitsch ne tuait pas. Une imposante affiche, laminée, trônait au-dessus du grand lit des époux, celle du seul film dans lequel Roxane avait joué, dont le titre, *Deux amants en or*, s'étalait en grosses lettres rouges. La chanteuse, exceptionnellement actrice, avait été dessinée pour que fussent mises en valeur ses formes capiteuses. Elle se tenait debout, les jambes écartées, les seins moulés comme ceux d'une statue antique, couverte d'une simple peau de bête. Chacune de ses mains fourrageait une chevelure mâle : l'une blonde, l'autre brune. Sa moue frondeuse ne laissait pas de place à l'équivoque. La belle sauvagesse dominait ses deux mecs ; elle était non seulement capable de se les taper, elle pouvait tout aussi bien s'amuser à les taper.

— C'est votre modèle ? l'interrogea Frédéric sur le mode de la dérision.

— Parfaitement. Elle aurait pu devenir une grande star de cinéma si des critiques stupides ne s'étaient pas appliqués à démolir son film indéniablement trop féministe pour eux.

— Vous êtes certaine qu'il s'agissait de la raison invoquée ?

— Non, mais ils le pensaient sûrement et, à partir de là, ils lui ont trouvé plein de défauts. Ce qui motive une critique agressive n'est pas toujours dit, vous savez !

— Alors, selon vous, c'est Dany le coupable.

— Ce n'est pas à moi à trouver le coupable, c'est à vous.

Finalement, Nathalie se retranchait vers ce qui semblait le plus logique. Un malaise profond montait en elle ; la crainte sournoise d'avoir dit sans s'en rendre compte un mot qui aurait pu l'incriminer ou attirer sur elle quelque soupçon. Ce sentiment ennuyeux surgit comme une menace dont elle devait se méfier. Elle n'avait plus rien à dire, n'avait aucune opinion, regrettait d'avoir douté de tous et chacun. Elle avait trop d'imagination, s'excusait de son verbiage. Elle lisait bien sûr trop de journaux à potins. C'était vraiment dangereux pour l'imagination. Quand Frédéric eut constaté chez Nathalie Chagnon l'expression de son désarroi et son intention arrêtée de ne plus rien livrer de significatif, il tira sa révérence en la remerciant du temps qu'elle avait consenti à sacrifier en répondant aimablement à ses questions. Celle-ci ressentit un soulagement certain à voir s'éloigner les deux corbeaux. C'était ainsi qu'elle percevait les enquêteurs des homicides du service de police car, à ses yeux, ils étaient des charognards. Ne faisaient-ils pas leur pain de pitoyables cadavres ?

24

Sur le chemin du retour à Montréal, la langue de Bernard se délia un peu.

— Pourquoi ne lui as-tu pas demandé d'explication sur son nettoyage de la scène de crime ? Ce n'est pas louche pour toi ?

— Tu as vu sa maison ?

— Oui.

— Tout y est si bien rangé, tout y étincelle de propreté. L'envie de frotter est clairement bien ancrée en elle. Il s'agit sans l'ombre d'un doute d'une pulsion incontrôlable. Elle aurait simplement répété ce qu'elle a déjà dit le soir du meurtre. Au besoin, il ne sera jamais trop tard pour lui reparler. Toi, Bernard, tu te remets de tes émotions d'hier ?

— J'ai honte parce que j'ai des haut-le-cœur quand je vois du sang et que je suis un homme, un policier de surcroît.

— Tu vas finir par t'habituer.

— Je ne comprends pas. Toi, tu es homo et ça ne t'a rien fait ?

— Avec le temps, j'ai appris à prendre une certaine distance, mentalement, face à ce qui se présente à mes yeux. Disons que mon trouble est plutôt d'ordre philosophique.

— Je t'écoute.

— Par exemple, quand je vois un homme écrasé, je ne peux pas m'empêcher de voir un chien, un chat ou un rat écrasés. Je me demande où est la différence et si les hommes n'ont pas inventé les dieux pour se soustraire à leur assimilation à l'animal.

— Tu es athée ?

— Je n'en suis pas certain. J'aimerais tellement qu'un Dieu existe, que l'homme ait une âme, qu'il y ait un Paradis, que les homosexuels ne soient pas en reste dans le tableau. Mais tout cela me semble trop poétique. Et combien de fois s'est-on servi sans vergogne des religions pour commettre les crimes les plus atroces ? L'idéalisme poétique et l'horreur des massacres s'alimentent aussi bien l'un que l'autre à l'amour réservé à Dieu.

— Tu m'assommes encore ! Où allons-nous maintenant ?

— Nous allons faire une balade touristique.

— Tu te fous de ma gueule !

— Nous allons à Westmount.

— Voir où habitait Roxane ? Quel intérêt ?

— Là, je dois dire que je suis mon intuition.

— Féminine !

— Parce que tu crois que les hommes n'ont aucune intuition.

— Bon, ça va. Parlons d'autre chose. Tu as des parents, j'imagine.

— Ma mère s'appelle, ne ris pas, Léopoldine. Elle a soixante-huit ans. Elle est retraitée, elle travaillait autrefois comme chef cuisinière dans le village où je suis né, Saint-Faustin. Elle vit maintenant du côté de l'Outaouais, à Fort-Coulonge, avec son conjoint. Elle s'occupe de la maison, du potager et chante dans la chorale de sa paroisse le dimanche. Son compagnon aussi est à la retraite. Il prend soin du domaine. Car, je dois en convenir, ils vivent sur une terre plutôt grande sur laquelle on trouve même un lac artificiel et un bois où se promènent les cerfs, les loups, les ours, où les castors exécrés grignotent les jeunes arbres et provoquent des inondations indésirables en édifiant leurs barrages.

— Et ton père ?

— Il s'est suicidé, il y a deux ans.

— Pardon !

— Il n'y a pas de quoi. Il a eu une vie difficile. Ça n'excusera jamais son sale caractère. Il a travaillé longtemps comme opérateur de débusqueuse, un gros engin qui permet de sortir de la forêt les arbres coupés. Mais avant d'y arriver, il lui fallait regrouper les troncs, les lier à l'aide d'un cordage métallique, tout en se démenant rageusement sur un sol accidenté et la plupart du temps instable. Un travail ardu à marcher dans la fange, à se coller de résine d'épinette et de sapin, à mariner du matin au soir dans des vêtements imbibés de sueur, à subir les agressions incessantes des maringouins assoiffés de sang frais en été, à se geler les doigts l'hiver au point de se pisser dans les mains pour se les réchauffer. Je ne sais pas si c'était pour oublier tout ça qu'il buvait comme un trou, qu'il arrivait toujours soûl à la maison, qu'il couvait une colère toujours prête à exploser.

— Et ta mère ?

— Ma mère, avant de travailler, a élevé ses cinq enfants ; elle était animée par un sens du devoir que lui avait inculqué son éducation religieuse, mais en permanence aigrie par une sourde frustration qui la poussait à des emportements tonitruants. C'était une femme négligée, qui se sentait sans doute trahie par une destinée qu'elle aurait voulue plus rose. Fille aînée, mère en second d'une douzaine de frères et sœurs, elle était devenue, après son mariage forcé, mère tout court. Rien ne changeait vraiment pour elle, rien ne s'améliorait de son triste sort. C'est ce qu'elle répétait à mon père, lui qu'elle avait épousé pour préserver l'honneur de sa famille.

— Quelle histoire !

— Il l'avait engrossée, gorgé de désir, en la culbutant sur une botte de foin. Il devait en assumer les conséquences. Un jour, j'ai entendu ma mère lui dire : « J'étais servante chez mes parents ; maintenant, je dois vous torcher, toi et les enfants ». Je me suis senti dès ce moment de trop. Et mon père de renchérir en me regardant, l'œil torve : « Cet enfant-là, je n'en voulais pas ». Et il y avait les pleurs de ma mère et ses cris lancés à la volée quotidiennement. Un vrai mélodrame, je t'épargnerai les détails.

— Et ton père, pourquoi a-t-il mis fin à ses jours ?

— Le plus ironique de sa vie, c'est qu'il s'est suicidé pour une femme qui l'a laissé tomber. Mes parents étaient divorcés depuis un moment, quand mon père est tombé amoureux fou d'une fille quarante ans plus jeune que lui. Elle était cocaïnomane. Elle a su flatter son amour-propre, lui donner quelques extases voluptueuses. Elle était mère de deux gamins et elle réclamait sans cesse de l'argent pour ces deux-là. Mon père, illusionné, l'a bêtement crue. En quelques mois, elle lui a siphonné son compte en banque. En dernier, il mangeait à crédit. Elle l'a menacé de le quitter s'il ne lui avançait plus d'argent. Il n'avait plus rien. Elle l'a abandonné. Il s'est pendu.

— Excuse-moi pour le jeu de mots, mais ce n'était pas gai chez vous.

— Avant que tu ne me le demandes, gay,
je le suis depuis toujours, mes parents n'ont
rien à y voir. Pour moi, les hommes ont toujours été plus séduisants que les femmes. Et
toi ? Tu as une histoire ?

— Je pense que la mienne est plutôt ba-
nale. Mon père est électricien et il travaille
encore, étant donné la demande pour les ouvriers de la construction actuellement. Il a été
un bon père. Il nous a encouragés pendant
nos matches de hockey. On était lamentables,
mais rarement il nous faisait des remon-
trances. Côté argent, il a toujours bien gagné
sa vie. Ma mère est restée à la maison pour
nous élever, moi et mes deux frères. L'idée
de travailler lui est passée par la tête parfois,
mais mon père l'aimait comme un fou, lui
donnait tout ce qu'elle voulait, ne cessait de
l'encenser sur tout ce qu'elle faisait pour sa
famille. Sans avoir l'impression de se sacrifier, elle s'est occupée de ses enfants et de la
maison. Rien ne la détournait toutefois de ce
qui piquait sa curiosité d'esprit, elle lisait
beaucoup. C'est bizarre à dire, je ne veux pas
me plaindre, ce serait idiot, mais le bonheur
facile comporte ses inconvénients. Jamais on
ne se sentait poussés à relever un défi, jamais
on n'était animés par la rage de se dépasser.
Cela m'est venu pourtant quand j'ai commencé à m'intéresser aux filles. J'ai remarqué qu'être le premier, le meilleur, celui qui

excellait, en quoi que ce fût, importait au plus haut point.

Était-ce le drame de la veille, l'expérience commune de cette vision macabre d'un corps se fracassant sous leurs yeux en pleine lumière qui avait brisé une barrière entre les deux hommes, qui se parlaient de leur famille à cœur ouvert, en toute simplicité ? Était-ce pour tuer le temps plus que par intérêt véritable l'un pour l'autre qu'ils dialoguaient dans une voiture en mouvement ? Quand ils aperçurent la vaste maison de pierres grises de Roxane, une voiture bleue qui était garée devant l'entrée s'ébranla pour leur laisser la place. De dos, on pouvait apercevoir un chapeau à large bord, en paille fine, de couleur turquoise. Il était ceinturé d'un ruban citron d'où émergeaient quelques plumes de paon.

— Madame est bien élégante, souffla Bernard.

— Nous sommes dans le quartier des puissants et des riches.

— Et des vedettes arrivées un jour au sommet de la gloire. Mais vraiment, une Honda ne laisse pas une impression de grande richesse.

— Sans doute la seconde ou la troisième automobile, destinée aux emplettes.

Les deux collègues descendirent de voiture.

— Acheter dans le quartier est un investissement profitable à coup sûr, dit Frédéric.

— Le fils fuyard reviendra sans doute quand il apprendra que sa mère lui laisse un petit château d'une valeur de... combien, tu crois ?

— Un million et demi de dollars environ. Je ne suis pas sûr que Dany héritera de quoi que ce soit. Il était à couteaux tirés avec sa mère.

— C'était son fils.

— Première règle à suivre, il ne faut jamais prendre sa propre famille comme modèle de comportements.

— Je vais essayer de retenir ce principe.

— On fait le tour de la maison.

— Comme tu veux.

Un portillon de fer forgé, qui n'était pas verrouillé, donnait accès à la cour arrière. Premier étonnement : l'absence de piscine. Il était vrai que le jardin se voyait aisément des fenêtres du voisinage ; l'intimité n'y était assurée que par quelques peupliers de Lombardie longilignes aux feuilles éparses.

— J'ai l'impression qu'elle a négocié un bon prix pour la maison en raison des vues gênantes qui l'environnent, souligna Bernard.

— Bonne observation. Allons au parc Trafalgar, là où la photo avec ce fichu de suicidé a été prise.

25

Deux pâtés de maison plus à l'ouest se trouvait le parc recherché, déjà verdoyant et agrémenté de tulipes pastel. Le vent s'était levé et des pétales de cerisier voltigeaient en spirales parfumées. Des nounous philippines promenaient soit la marmaille, soit les chiens de compagnie des richissimes propriétaires des alentours. Frédéric examina la disposition des bancs du parc. Il sortit de sa poche la coupure de journal montrant, sur le mode de l'indiscrétion, Roxane et son amant. Grâce à la reconnaissance de quelques égratignures faites dans le dossier d'un banc apparaissant en arrière-plan et à la présence d'une corbeille du service sanitaire, suspendue à proximité de celui-ci, il parvint à identifier l'emplacement exact saisi par l'objectif. En se retournant, il comprit pourquoi la photo était si floue. Elle avait selon toute vraisemblance été prise au travers du panneau de verre d'un abribus qu'il parcourait du regard et dont la malpropreté était surprenante, compte tenu qu'il se dressait dans une ville telle que Westmount. Des ados rebelles qui entendaient marquer leur territoire, comme les chiens qui pissaient contre les poteaux de téléphone, s'étaient sans doute amusés à souiller le verre d'une intolérable translucidité. À un âge où rien n'était clair, tout ce qui tendait à une certaine perfection enrageait et incitait à la salissure. C'était la théorie de Frédéric, qui abhorrait les graffiteurs de tout acabit. La personne qui avait pris la photo, pensait-il, était sûrement une habituée de la ligne d'autobus adjacente ; elle avait aperçu plusieurs fois la vedette se promener dans le parc et l'idée s'était épanouie de faire quelques sous en numérisant subrepticement son image. Bernard, qui observait la direction des regards de Frédéric, tentait de suivre également sa pensée quand soudain une voix féminine s'immisça dans le cours des événements.

— Monsieur Paquin, je crois ?

— En effet, répondit Frédéric, qui cherchait à identifier ce visage qui l'interpellait.

— Je suis Sylvie Boisjoli. J'étais la régisseuse et accessoiriste de Roxane. Je vous ai reconnu, vous passez souvent à la télé. Je sais que vous vous occupez de l'enquête relative à son décès.

— À son meurtre. Mais que faites-vous ici ? Vous nous suiviez ? demanda Frédéric, arborant un sourire taquin.

— Je n'entends pas à rire, monsieur, grommela tristement Sylvie. Je venais me re-

cueillir dans un lieu que Roxane affection-
nait tout particulièrement. J'ai servi cette
fameuse chanteuse tellement d'années qu'elle était devenue pour moi comme une sœur.
Je sais que ce sentiment peut vous paraître
déraisonnable, voire présomptueux, mais je
suis profondément ébranlée par sa disparition. Je viens ici comme en pèlerinage, pour
marcher dans ses pas et me souvenir de tous
les moments merveilleux que nous avons
vécus ensemble. Il me semble qu'il y a désormais un grand vide dans ma vie.

Les regards de Frédéric et Bernard se croi-
sèrent. Tous deux semblaient touchés par le
désarroi sensible de Sylvie qui, cheveux désordonnés, chemisier froissé, jupe de travers, se
traînait, l'air déglingué.

— Vous demeurez à notre disposition
pour répondre à nos questions ? poursuivit
Frédéric sur le mode d'une froideur chirur-
gicale.

— Bien évidemment. Vous avez sans
doute accès à mes coordonnées. Je n'habite
pas très loin d'ici.

— Oui. Je vous offre mes condoléances,
madame Boisjoli.

— Moi de même, s'empressa d'ajouter
Bernard en lui tendant la main, imitant ainsi
son collègue.

Une larme se mêla au remerciement de
Sylvie. Elle s'éloigna d'un pas alangui.

— J'ai faim, lança subitement Frédéric, allons manger !

— À la Maison de jade, ça t'irait ?

— J'adore la soupe tonkinoise, c'est parfait.

Bernard n'avait pas très bien compris l'intérêt de la visite accomplie autour du domicile de la vedette disparue. Certes, l'apparition de la Boisjoli octroyait une pertinence impromptue à la démarche ; toutefois, la régisseuse éplorée n'inspirait aucunement la méfiance. Elle avait su imposer le respect, ayant été imperturbable à la tentative de déstabilisation initiale de Frédéric.

Avant d'aller au restaurant, Frédéric communiqua avec son chef pour lui dresser un bref rapport. Si peu de choses néanmoins à se mettre sous la dent ! Laplante, désappointé, lui laissa carte blanche pour le reste de la journée.

26

Devant une soupe fleurant la citronnelle et le basilic, Frédéric et Bernard planifièrent leur après-midi. D'un commun accord, ils décidèrent d'investir l'antre de Mario Ricard dont le rôle paraissait plutôt flou dans le déroulement des événements. Nathalie, la maquilleuse, ne l'avait pas désigné d'emblée comme suspect, mais Dany avait mentionné qu'il avait des relations d'affaires pour le moins tendues avec sa mère. En outre, en sa qualité de producteur et de gérant, l'accès au frigo de la loge de Roxane lui était facile. Son absence même auprès de Roxane le jour où elle devait briser la glace avec son nouveau spectacle le rendait louche aux yeux de Frédéric. Après tout, un meurtrier intelligent essaierait nécessairement de se soustraire à tout soupçon. Où pouvait bien être ce Mario Ricard ? Le dossier des patrouilleurs donnait diverses coordonnées ; les numéros de téléphone de sa maison de production, de son domicile, de son chalet des Laurentides et même celui du bar qu'il fréquentait le plus souvent. Très étrange, comme si cet homme

désirait précisément les recevoir. Après vérification, il était à son bureau. Sa secrétaire
le mit en communication avec Frédéric.

— Bonjour, monsieur Ricard ? Je suis Frédéric Paquin, sergent-détective du SPVM.
Pourriez-vous nous recevoir, moi et mon assistant ?

— Je vous attends.

— On ne vous dérange pas trop, j'espère !

— Monsieur, je suis certes un homme oc-
cupé, mais je sais aussi qu'il y a dans la vie
des moments où il faut assumer ses responsabilités d'honnête homme. Je suis très trou-
blé par le décès subit de Roxane ; si je peux
vous être utile, j'en serai heureux.

Trente minutes plus tard, Frédéric rageait
au volant de sa voiture. Il cherchait vaine-
ment une place de stationnement dans les
rues étroites et encombrées du Vieux-Mont-
réal. Les bureaux de Mario Ricard se trouvaient rue Saint-Jacques, dans l'ancien quartier de la haute finance. Les façades richement
ornées s'emboîtaient cahin-caha dans des
styles plus ou moins flamboyants d'inspi-
rations rococo, néoclassique ou victorienne.
Frédéric se résigna à garer la voiture dans un
stationnement payant. Puis, les deux compères, adresse en tête, se rendirent à pied
au seuil d'un immeuble conçu pour en mettre
plein la vue. Des colonnes corinthiennes en-

cadraient l'entrée du vaste vestibule. Des rénovations successives n'avaient pas totalement gommé le charme opulent des lieux. Certaines boiseries de-ci de-là avaient été conservées. Le plus saisissant pour l'œil avisé était le plafond de la salle d'accueil de style traditionnel français aux poutres et aux solives apparentes finement décorées. Il rappelait celui, prédécesseur de la splendeur versaillaise, qui surplombait la Grande Chambre carrée du château de Vaux-le-Vicomte. L'élégance du personnel laissait croire que les employés de Ricard Multimédia jouissaient d'émoluments généreux. Une secrétaire splendide se dirigea d'un pas lascif vers les deux enquêteurs attendus. Cette blonde à la silhouette ondulante n'était ni star de cinéma ni chanteuse ! Comment était-ce possible ? Un sourire libidineux s'imprima sur les lèvres de Bernard. Mais la voix de l'hôtesse, nasillarde et d'une lenteur de tortue, rompit abruptement le charme :

— Bienvenue chez Ricard Multimédia. Monsieur Ricard va vous recevoir, en personne, dans son bureau. Suivez-moi, s'il vous plaît !

Que les apparences étaient renversantes !

Mario Ricard était habillé sobrement, plus qu'à son ordinaire. Il n'avait pas poussé la note jusqu'à se vêtir de noir, mais le costume et la cravate bleu marine lui conféraient un air de solennité, sûrement remarqué et apprécié de son entourage dans les circonstances. Bernard fut très tôt distrait par les photos qui couvraient les murs. Celle de Roxane ne ressortait nullement. Elle était juchée, excentrique, au-dessus de celles de vedettes plus jeunes : la petite Sophie d'à peine quinze ans ; Martin Bulle, l'éphèbe au regard tristounet ; l'acadienne Janice Brûlot dont la carrière remontait à Mathusalem. Enfin, il y avait quelques grandes vedettes de l'heure : la rockeuse Pitche, le chanteur de ballades Fred Lefret, dont les yeux violets ne cessaient d'étonner – à coup sûr, ce crooner portait des lentilles cornéennes colorées.

— Vous êtes bien entouré, dit Frédéric à la vue de ces ex-voto de la renommée artistique pop.

— C'est presque un harem, renchérit Bernard dont le mauvais goût en matière de blague déchaîna en l'occurrence une tempête inopinée.

— Quoi ! vous osez m'insulter aussitôt le pied dans mon bureau ? Sachez que ceux que vous voyez ici sont tous mes protégés et que j'estime chacun d'eux, comme il se doit, à sa juste valeur. J'établis toujours des relations d'affaires dans la confiance et le respect mutuels et je ne me laisserai pas humilier. Est-ce bien clair ? Encore moins aujourd'hui, poursuivit-il sur un ton plus grave, alors que

nous devons avoir une pensée toute spécia-
le pour celle qui a su pendant près de vingt
ans nous égayer de ses sourires, nous émou-
voir et nous câliner de sa voix chaude. Elle
était la mère, l'amie, la sœur de tous et chacun. Quand je l'ai vue s'effondrer sur la scène,
j'ai cru un moment que mon cœur s'arrêterait ; j'ai d'abord pensé qu'elle avait un malaise, mais la terrible vérité s'imposa bientôt
dans toute son atrocité. Il ne faut pas oublier
cette femme, ajouta-t-il sur un ton presque
souriant. Dans ce dessein, nous mettons cette
semaine une énergie titanesque à monter un
album commémoratif d'un goût exquis re-
traçant les grands moments de la carrière de
la préférée des Québécois. Dès la semaine
prochaine, dans tous les kiosques, les phar-
macies, les épiceries, nous offrirons cet ultime cadeau à tous ses admirateurs, pour la
modique somme de 10,95 $.

Cette tirade révélait l'homme. Un homme
d'affaires avant toute chose, dont les sentiments résonnaient avec brusquerie et ruti-
lance, comme des trompettes ronflantes sur
un champ de bataille dévasté. Frédéric, qui
n'aimait pas s'en laisser imposer, voulut calmer le jeu en posant une question toute simple.

— Pouvons-nous prendre place ?

— Bien sûr, asseyez-vous !

Bernard comprit qu'il était mieux de se
taire, encore une fois.

— Monsieur Ricard, qu'avez-vous fait le jour où Roxane a été assassinée ?

— Je dois m'occuper d'une horde d'artistes moins expérimentés qu'elle. J'ai passé cette journée-là avec Martin Bulle, à mon studio d'enregistrement, car il essaie de nouvelles chansons. Il pourra vous le confirmer, ainsi que les musiciens qui l'accompagnaient. Vous savez, je connaissais bien Roxane. Elle avait la fibre des grandes stars. Moins il y avait de gens autour d'elle pour la conseiller, mieux elle se portait.

— Et que pensiez-vous de son nouveau spectacle ?

Ricard se passa l'index de la main droite derrière l'oreille et enclencha un mouvement giratoire de frottement, comme s'il eût caressé du bout de son doigt la lampe d'un génie bienveillant prêt à lui souffler la meilleure des réponses possibles. Ses clignements d'yeux se suspendirent. Il ramena ses mains, doigts écartés, l'une vis-à-vis de l'autre, avant d'appuyer et de resserrer les pointes de ses éventails digitaux à la manière d'un pontife s'apprêtant à révéler le fond de son âme.

— Il est juste d'affirmer que Roxane n'était plus à l'apogée de sa carrière. Toutefois, elle avait ses fans indéfectibles et savait encore ensorceler un essaim de jeunes loups qui retrouvaient en elle une grâce qui s'est dissoute aujourd'hui dans la cohorte des greluches vulgaires de la chanson pop se dandinant dans des jeans hyper serrés et se pavanant le nombril à tout vent.

— Néanmoins, on ne peut pas dire que Roxane s'interdisait le décolleté incisif, fit remarquer Frédéric.

— Elle savait se dévêtir avec élégance, quelle autre femme peut prétendre à une telle grâce !

— Vous n'étiez pas pourtant particulièrement emballé à l'idée de la produire de nouveau à ce qu'il paraît ?

— Qui vous a dit une telle chose ? questionna Ricard, sur le qui-vive.

— Nous respectons le caractère confidentiel des témoignages que nous recevons.

— Il y a toujours de mauvaises langues pour tout salir, des envieux qui se morfondent, n'attendant que l'occasion propice pour enfoncer les poignards de leur dépit. J'ai toujours estimé Roxane, je la considérais comme une sœur. Je lui ai peut-être parfois adressé quelques mises en garde, pour lui éviter des risques inutiles sur le plan des investissements, car elle manifestait par moments un enthousiasme immodéré. Malgré tout, je dois m'en confesser, elle a toujours fini par me convaincre du bien-fondé de ses projets. Elle trouvait les mots qu'il fallait. Et bien que j'aie dû encaisser quelques pertes par le passé, je n'ai pas résisté bien longtemps avant de la soutenir, de l'encourager et de promouvoir son dernier spectacle. Sa tournée s'annonçait à juste titre triomphale. Et ce serait bien malhonnête de me reprocher à l'heure actuelle mon idée d'album souvenir qui me permettra de récupérer en partie ma contribution financière à sa dernière aventure d'artiste. Je veille par ailleurs, soyez-en assurés, à ce qu'aucune faute de goût ne soit commise. C'est vrai ! Je suis, comme on dit, un homme d'affaires redoutable, mais j'ai aussi un cœur tendre. J'ai même un esprit paternel ; je me sens responsable de mes protégés.

— Y a-t-il d'autres artistes avec lesquels vous avez perdu de l'argent ?

— Non ! répondit sèchement Ricard, insulté. Sachez que Roxane représentait pour moi plus qu'une simple artiste sous contrat.

Le pédophile véreux respirait profondément, cherchant au tréfonds de ses méninges le mensonge étincelant par lequel il éblouirait, comme à son ordinaire, son auditoire captif. Il excellait en cette matière.

— C'est que, dit-il en adoptant une posture d'humilité, j'étais… amoureux de Roxane, un amour qui n'était pas réciproque, mais que je ne suis jamais parvenu à terrasser. Que n'aurais-je pas fait pour elle ? renchérit-il en s'efforçant de feindre une douleur véritable.

Et il versa une larme, du plus bel effet, qu'il réussit à produire en s'imaginant menottes aux poignets, traduit devant la justice pour grossière indécence, sévices sexuels, détournements de mineurs. C'eût été trop bête d'en arriver là. Il n'y avait qu'une voie à suivre : celle de la mystification totale. Il se butait cependant à la froideur de Frédéric dont le moteur de l'existence était le doute absolu. Le jeune enquêteur pouvait se réclamer de la foi fragile de Voltaire dont lui revenaient confusément ces quelques paroles : « Mon Dieu, si vous existez, sauvez mon âme, si j'en ai une ». Bernard, quant à lui, sous ses apparences d'ours mal léché et d'homme bien-pensant, retenait sur ses yeux de poisson frit un voile d'humidité brûlante, ultime exhalaison d'une intimité secrète entre lui et celui qu'il imaginait entendre : un homme honorable grugé par une passion dévorante. Son cœur simple l'entraînait malgré lui sur la pente rudement déplacée d'une empathie sincère.

— Qui soupçonnez-vous, monsieur Ricard, dans la triste affaire du meurtre de Roxane, affaire qui nous afflige tous au-delà de la rationalité dont je suis un fervent disciple ? enchaîna posément Frédéric tout en saisissant du coin de l'œil l'émotion détestable de Bernard.

— Qu'en sais-je ?

— Vous avez parlé à Roxane le jour de son décès ?

Ricard se racla la gorge et se flanqua les mains sur les tempes pour imiter un effort de mémoire. Frédéric tenta le tout pour le tout en lançant une perche à son interlocuteur.

— Nous avons entre les mains le relevé téléphonique de Roxane.

— Oui, oui, je lui ai parlé l'après-midi, mais je n'osais évoquer cet entretien douloureux.

— Pourquoi douloureux ?

— J'avais des mots d'encouragements pour elle, femme blessée, si troublée par les frasques de son fils, par l'incertitude de ses sentiments envers son fiancé, par sa méfiance surtout à l'égard d'Hervé l'Œil, qui la concurrençait pour l'obtention d'une émission de variétés. Je lui ai promis pour la réconforter d'user au mieux de mon influence pour la pistonner. Que pouvais-je faire de mieux, dites-moi ? Je voulais la rassurer à tout prix, pour qu'elle fût à la hauteur de son incomparable talent, pour qu'elle fût prête à tenir entre ses doigts la foule qui allait bientôt l'acclamer.

— Elle vous entretenait de ses sentiments pour monsieur Bertrand Bellavance ?

— Vous paraissez surpris ! Je vous l'ai dit, j'étais comme son grand frère.

Bernard sortit subitement de son silence, emporté par un mouvement de sollicitude dans lequel il se complaisait.

— Je crois que nous avons manqué à tous nos devoirs en ne vous transmettant pas nos condoléances les plus profondes, monsieur Ricard.

Le maître de l'illusion exultait. Tel un satyre ingénieux dissimulé sous les habits de Saint-Georges, il avait terrassé le dragon des bonnes mœurs, l'avait astreint à une compassion paralysante, stratagème fatal des beaux parleurs. Frédéric s'en désola. Il prit le parti de feindre, par stratégie, et avoua un impair impardonnable, se joignant ainsi à Bernard pour former avec lui un duo compatissant. Avant de se retirer, il invita monsieur Mario Ricard à lui communiquer tout renseignement qui, dans le cours de son enquête, pourrait l'aiguiller de manière opportune. Il parvint à étouffer parfaitement la désespérance que lui inspirait son benêt de collègue.

27

Après s'être restauré sainement et s'être rafraîchi, Frédéric avait enfilé son kimono de coton bleu ciel pour regarder un peu la télé. Il se demandait s'il ne sortirait pas pour tenter de revoir le jeune homme aux cils lourds de khôl qu'il avait observé au cabaret de travestis et dont la douce langueur avait semé en lui le germe fertile du désir. Il hésitait. Sans doute qu'il eût été peu sage de s'épuiser avant la journée capitale du lendemain. Il avait besoin de toute sa tête pour assister, l'œil scrutateur, aux obsèques et à l'enterrement de Roxane, sans compter qu'une horde de journalistes risquait de le talonner. Ce travail de la pensée qu'il menait péniblement pour se convaincre de rester sage fut interrompu par l'appel strident de la sonnette. C'était Caroline, maquillée, les lèvres vermillon, le sourire coquin, l'œil allumé, pimpante dans son débardeur de soie rose où se profilait en fines perles un motif de lotus épanoui. Soudain, elle baissa la tête, porta la main droite à son front et laissa tomber l'ombre irréelle d'un remords.

— Tu vas me pardonner, n'est-ce pas ?

— De quoi ? enchaîna Frédéric, les yeux écarquillés, s'interrogeant sur les frasques de sa voisine.

— Je suis allée à l'hôpital Saint-Luc, balbutia-t-elle en se découvrant le front et en fixant Frédéric droit dans les yeux afin de vérifier l'effet de ses paroles sur lui.

Il aspira une goulée d'air et soupira. Il se demandait pourquoi le destin avait placé sur son chemin cette cégépienne qui se prenait pour Hercule Poirot. Devait-il s'en inquiéter, ou au contraire s'en amuser ? La seule solution envisageable était la bienveillance respectueuse.

— Tu cours peut-être un danger à te mêler de ce qui ne te regarde pas. Imagine que le meurtrier te perçoive un jour comme une menace et qu'il s'en prenne à toi. Ne serait-il pas attristant de perdre la vie dans la fleur de l'âge ?

— N'en remets pas ! Tu ne fais que rendre plus excitante encore cette enquête dont je me mêle si modestement. N'amplifie pas, s'il te plaît, le plaisir que j'éprouve à me sentir en danger.

— Misère ! Je suis tombé sur une toquée.

— Ne sois pas bête, mon nouvel ami. Je ne prétends pas à être autre chose qu'un prolongement de ta personne. Je te multiplie, je t'offre le don d'ubiquité.

— Tu veux flatter mon ego ! Sapristi ! Tu uses de tous les moyens. Rien ne t'arrête.

— Va ! Ne sois pas grognon ! Veux-tu connaître enfin mes faits et gestes d'aujourd'hui ?

Frédéric invita Caroline à s'asseoir au salon et lui offrit une anisette qu'elle accepta volontiers. Il consentait enfin à écouter son récit.

— Je suis arrivée à l'hôpital Saint-Luc vers treize heures. J'ai dit que j'étais une des nièces de madame Henriette Boisvert, que j'avais oublié le numéro de sa porte de chambre. On me l'a donné. Je suis montée à sa chambre. Quelque chose m'a cependant intriguée. Avant d'y entrer, j'en ai vu sortir une dame. Je n'ai pas bien distingué son visage. J'ai vu toutefois qu'elle avait des cheveux roux.

— Ce n'était pas une infirmière !

— Non, sûrement pas avec le parasol qu'elle portait sur la tête.

— Comment ?

— Un chapeau de paille bleu à large bord, à la Audrey Hepburn.

— Avec des plumes de paon derrière ?

— Comment le sais-tu ? Qui est cette femme ?

— Madame Boisvert ne te l'a pas dit ?

— Tout ce que j'ai réussi à lui soutirer, c'est quelques douloureux grognements.

— Tu n'y a rien compris ?

— À force d'écouter, on peut s'imaginer à peu près n'importe quoi. Mais elle a répété en souffletant : « M…a, m…a, m…a ».

— Ma quoi ?

— Elle a soufflé un f par la suite avant de s'évanouir.

— On lui a sans doute dit que sa fille était morte ; elle voulait exprimer sa peine. Ou bien elle te prenait pour sa fille.

— Tu veux m'insulter. Roxane avait plus de deux fois mon âge.

— Est-ce que madame Boisvert avait une autre fille ?

— Dans les journaux à potins, j'ai toujours lu que Roxane n'avait qu'un grand frère de quatre ans son aîné. Nulle mention d'une sœur.

— Et pourtant Roxane avait bien un fils qui a soudainement apparu tel le polichinelle d'une boîte à surprise.

— Tu me distrais. Comment as-tu su pour les plumes de paon ?

— En fin de matinée, Bernard et moi avons fait un tour d'inspection autour de la résidence de Roxane. Quand nous y sommes arrivés, il y avait une voiture bleue devant la maison et à son bord une femme portant un chapeau comme celui que tu as décrit. Il faudrait identifier cette fureteuse. Mais ne t'en occupe pas, ce que tu as fait est bien suffisant. Laisse les experts travailler.

— Fascinant. Dis-moi, comment je devrais m'habiller pour les funérailles ?

— Tu n'as pas cours demain ?

— Le mercredi, je n'ai jamais cours.

— L'idée me paraît mauvaise.

— Je crois que le noir n'est plus de mise. J'ai un tailleur bleu marine qui me vient d'une vieille tante anciennement hôtesse de l'air. Maintenant, on dit agente de bord. C'est plus froid comme dénomination, non ?

— Rien ne peut t'arrêter. Fais comme tu voudras, mais tiens-toi loin de moi. Je ne voudrais pas qu'on sache que ma voisine s'est mêlée à l'une de mes enquêtes criminelles.

— Ce soir, je t'invite chez moi.

À Montréal, le temps s'adoucissait. Le mercure avait atteint en après-midi un magnifique 20°C. Depuis quelques jours, les suicides se multipliaient, comme si l'hiver finissant eût sapé toute l'énergie vitale des êtres les plus fragiles. Pour d'autres cependant, se balader sous un azur clément avait un effet contraire, réconfortant. Caroline était l'une de ceux-là. Son espièglerie et sa joie de vivre rassérénaient Frédéric. Baignés de la lumière du crépuscule, ils mangèrent ensemble une salade de tomates à la grecque parfumée au thym et lustrée d'un filet d'huile d'olive fruitée. Frédéric se demandait s'il devait cultiver cette amitié plutôt frivole qui s'était tissée entre lui et Caroline, s'il n'en avait rien à craindre. Il lui semblait avoir toujours payé trop cher les instants de pur bonheur qu'il avait vécus.

28

Le mercredi 28 mai 2003, les premiers rayons du soleil chatouillèrent les paupières closes de Frédéric. Car avant d'aller au lit, il avait oublié de rabattre complètement les lattes horizontales du store de sa chambre à coucher. Il était emmitouflé dans la chaleur tendre de sa couette de duvet de canard et il se laissait bercer par le souvenir d'une baise sauvage. Un soir de désœuvrement, il était allé boire un café rue Sainte-Catherine dans le quartier gay et un jeune homme à la peau mate, aux cheveux noir charbon, s'était assis devant lui à sa table ; il l'avait regardé droit dans les yeux, lui avait souri. Sans préambule superflu, sûr de son charme, le crâneur s'était littéralement offert, soufflant de sa voix méridionale : « Si tu veux me prendre, je suis à toi ». Frédéric avait acquiescé sans palabrer ; il avait ramené sur-le-champ celui qu'il baptisa spontanément, pour s'amuser, Méditerranée. Le jeune homme s'était accommodé volontiers de ce nouveau nom. Il avait d'ailleurs suivi Frédéric sans ressentir le besoin de décliner avec exactitude son identité. Il se prêta de bonne grâce au jeu de la métaphore. « Je suis la mer dans laquelle tu vas te baigner », glissa-t-il. Le corps lisse et légèrement musclé de Méditerranée se dessinait sous un maillot moulant et excitait sa soif de concupiscence. Inéluctablement, l'impudeur naturelle de ce méditerranéen allumait la braise incandescente du désir. Cependant, il fallut d'abord arriver à la chambre de Frédéric. Là, derrière des portes closes, les deux hommes s'observèrent fébrilement, se toisèrent avec appétit ; leur envie l'un de l'autre s'en accrut encore. Ils s'étreignirent ainsi en se buvant des yeux. Une marée puissante les emporta alors. Leurs lèvres pulpeuses se rassasièrent bientôt sans retenue. Ils se couvrirent de baisers avec une ardeur presque furieuse. Méditerranée se gonfla de plénitude. Il voulut engouffrer Frédéric. Il le fit en immergeant dans sa bouche la queue pointée de son mâle altier et la soumit au flux et au reflux des ondulations de sa langue agitée. Puis, subjugué par les remous de son désir, il saisit Frédéric à la gorge, plongea son regard dans le sien ; les narines palpitantes, comme pris d'une rage à se soumettre, il implorait la prise de son corps. « Encule-moi ! », supplia-t-il. Il se retourna alors, se prosterna pour offrir l'estuaire sacré de ses entrailles. Frédéric, le souffle court, enfila prestement un préservatif, puis il enfonça son mât superbe en s'annonçant sans modestie : « Le paquebot Frédéric va fendre la vague ». Il investit en conquérant un golfe tumultueux. Il s'y ballotta avec hardiesse. Méditerranée roula ses vagues frémissantes, gronda d'un plaisir immodéré. Frédéric, en brillant capitaine, mena sa barque fonceuse jusqu'à ce qu'une lame d'écume, de son mât décapoté, se déchargea sur le dos courbé de Méditerranée. Que la traversée avait été grisante ! Frédéric gardait, dans un élan fantasmatique, cette image un peu lyrique d'une odyssée érotique mémorable alors qu'il se branlait sous les couvertures pour se soulager de la gaule du matin. Au moment même où il éjacula, le téléphone sonna. Pressentant un appel prioritaire, il décrocha aussitôt le combiné, alors que le sperme dégoulinait de ses mains. Tout en écoutant les directives de Laplante, il repéra l'emplacement des mouchoirs. Il en saisit un et s'essuya alors qu'il apprenait que sa journée commencerait plus tôt que prévu. On avait contacté Jacques, le frère de Roxane, pour organiser une rencontre. Laplante pensait, à l'instar de son enquêteur favori, qu'il serait instructif de lui poser quelques questions. Il fallait donc que Frédéric allât l'interroger, avant les funérailles, à l'hôtel *Constellation*, à l'angle des rues Berry et Sherbrooke. Frédéric apprit également qu'un important dispositif de sécurité serait déployé

autour de la basilique Notre-Dame, où auraient lieu les obsèques de la célébrité truci-
dée, car, même si Roxane ne jouissait plus
d'une popularité extrême, il n'était pas possible de prévoir la réaction de ses fans éplo-
rés. Finalement, Laplante le prévenait qu'il
devait imaginer une petite allocution pour
les nombreux journalistes présents, qui ne
manqueraient pas de s'enquérir du déroulement de l'enquête. Quel retour brutal, pour
Frédéric, sur le sinistre plancher des vaches !
En se consacrant à sa toilette de manière ac-
célérée, il avait ensuite réfléchi aux questions
qu'il poserait à Jacques Boisvert, aux délices
rhétoriques qu'il proposerait aux oreilles glou-
tonnes des journalistes, pour bien les rassasier. Bref, il s'apprêtait à cette journée pendant laquelle il épierait cette foule vaste et
grouillante qui fourmillerait autour de la défunte illustre.

L'hôtel *Constellation* s'élevait sur vingt
étages de béton grisâtre. Il était fenêtré sur
toutes ses façades. Sur sa toiture flottaient les
drapeaux des États-Unis, du Canada, du Québec et de la ville de Montréal. L'édifice ano-
din, néanmoins fort fonctionnel, n'était ni
beau ni laid de l'extérieur. En y pénétrant
toutefois, on y sentait la présence d'un certain luxe. Une vaste salle de repos précédait
l'aire occupée par la réception. Celle-ci bé-
néficiait d'une décoration plutôt élégante.

Des gerbes d'oiseaux de paradis y étaient soigneusement juchées. Leurs fleurs au bec irisé surmonté d'une houppette flamboyante sortaient leur cou longiligne de jolis vases de cristal posés sur des guéridons au tracé moderne et gracieux. Frédéric eut brusquement le sentiment d'avoir oublié quelque chose ; il eut l'impression d'un manque dont il ne parvenait pas à identifier, au premier abord, la cause. Puis, la lumière éclata. Bien sûr, c'était l'absence de Bernard qui le mettait dans cet état. S'était-il déjà à ce point habitué à sa présence ? Au fait, pourquoi Laplante ne lui avait rien dit à son sujet ? Il n'aurait pas réussi à le joindre. Voilà tout ! De toute manière, travailler en solo le reposerait.

Frédéric était déjà vêtu pour l'affectation de l'après-midi. Il portait un costume bleu marine, une chemise blanche. Le seul élément qui pouvait un tantinet détonner était sa cravate, achetée en Afrique ; de petits poissons bleu royal s'y détachaient sur un fond céruléen. Il était dix heures trente. Frédéric demanda au préposé de la réception d'annoncer son arrivée à monsieur Boisvert. Il était attendu. Frédéric monta à sa chambre. Jacques y était seul. C'était un homme grand et costaud, à l'allure imposante, droit comme un piquet. Ses mains calleuses révélaient un gaillard rompu au travail manuel. Il était charpentier.

— Bonjour, monsieur Boisvert, je suis le sergent-détective Paquin, voilà ma plaque !

— Venez vous asseoir.

— Vous êtes seul ?

— Ma femme préférait se promener dans les environs. Ce n'est pas tous les jours qu'elle vient à Montréal.

— Alors, si je comprends bien, vous ne fréquentiez pas beaucoup votre sœur.

— Je crois qu'elle avait tiré une croix sur sa famille.

— Qu'est-ce qui vous fait y croire ?

— Quand elle a commencé à avoir du succès, elle nous invitait à la fête de Noël qu'elle ne manquait pas d'organiser chaque année, mais nous, citoyens ordinaires, nous nous retrouvions un peu perdus au milieu des journalistes artistiques, des photographes et des vedettes de la télé. Au cours d'une soirée complète, c'est tout juste si Manon avait le temps de nous adresser la parole quelques minutes. Nous nous sentions isolés, dans un monde qui n'était pas le nôtre, moi, ma mère et ma fiancée. Vous savez, je travaille le bois et mon épouse est préposée aux personnes âgées. Quand je lui ai demandé sa main, elle m'a dit : « À condition que nous n'allions plus chez ta sœur. Je ne suis pas à l'aise dans son monde ». J'aimais trop Évelyne, et ma sœur avait trop peu besoin de moi, pour ne pas me soumettre. Ainsi, mon lien avec Manon a été

230

rompu, enfin, presque. Ma sœur m'appelait parfois et franchement, elle était sympathique au téléphone, surtout depuis qu'elle avait moins de succès. Il y a une quinzaine de jours, elle nous a invités, moi, ma femme et nos deux enfants à dîner chez elle. J'étais extrêmement surpris et, même si elle me disait que nous serions seuls avec elle, Évelyne ne voulait pas la rencontrer. Manon m'a rappelé quelques jours plus tard pour m'informer qu'elle avait modifié son testament en ma faveur.

— Et pourquoi ?

— Ma mère est mourante. Elle était son unique héritière. Elle comprenait que son testament ne tenait plus la route. Vous le savez peut-être, ma mère est à l'hôpital Saint-Luc. Je suis allé la voir il y a moins d'une semaine pour lui dire que je l'aimais, car elle n'en a plus pour très longtemps.

— Et Roxane allait la voir ?

— En fait, c'est surtout ma sœur qui s'occupait d'elle, après l'avoir négligée des années durant. Voulait-elle ainsi soigner des remords ? Je ne pourrais pas vous le dire.

— D'autres membres de votre famille lui rendaient visite ?

— Pas que je sache.

— Est-ce que votre sœur vous a choisi comme exécuteur testamentaire ?

— Pas du tout ! Sa notaire, madame Thara Minarelle, s'occupera de tout, elle sera rémunérée pour son labeur, grassement je suppose. Ma sœur a préféré accorder sa confiance à une parfaite étrangère.

— Et comment cela s'explique-t-il ?

— Au fil des ans, je crois qu'elle avait développé une espèce de paranoïa envers ceux qui la côtoyaient ou encore envers ceux qui avaient un lien de sang avec elle. Elle faisait semblant de se sentir bien au milieu des siens, mais, au fond d'elle-même, elle craignait toujours qu'on veuille profiter d'elle. Je ne crois pas pouvoir vous donner une meilleure explication.

— Est-ce que Roxane avait une autre sœur dont on aurait tenu l'existence secrète ?

— Je n'en avais jamais parlé avant, un peu pour préserver l'honneur de ma mère, un peu pour ne pas embêter ma sœur. Mais tout est différent maintenant, ma sœur est morte, ma mère agonisante, j'ai un neveu que je ne veux pas connaître et il y a une enquête pour éclaircir les circonstances d'un crime. Je ne veux pas cacher une information qui pourrait être utile, même si j'en doute énormément.

— Laissez-moi en juger et faites-moi confiance, je travaille pour découvrir la vérité.

— Roxane n'avait que deux ans et demi. Elle n'en a gardé aucun souvenir et, même moi, j'avais complètement oublié ce passage de la vie de ma mère jusqu'à ce que ma sœur soit engrossée par ce Jocelyn Lavigueur qui portait trop bien son nom. Ma mère disait avoir pris du poids ; elle était en effet plus ronde, même si elle ne mangeait presque pas. Puis, un jour, elle nous a laissés ma sœur et moi chez nos grands-parents pour suivre une cure d'amaigrissement, prétendait-elle. Environ un mois plus tard, j'ai saisi quelques mots de ma grand-mère, qui chuchotait dans le combiné du téléphone. « C'est bien ! C'est fait ! Repose-toi un peu et reviens-nous, tu manques à tes enfants ». J'ai alors pensé que son régime était fini, mais tout compte fait, elle a dû accoucher et je ne pourrais pas vous dire si c'était d'un garçon ou d'une fille.

— Vous saviez où elle est allée ?

— Non et mes grands-parents sont décédés. Seule ma mère pourrait vous renseigner, mais elle ne parle plus. Il n'est pas exclu qu'elle se soit fait avorter, même si, à l'époque, il s'agissait d'une solution moins prisée qu'aujourd'hui. Et plus j'y pense, il était forcément trop tard pour une telle intervention.

— Vendredi dernier, étiez-vous au spectacle de Roxane ?

— Non, j'étais dans une taverne à jouer au billard avec des amis.

— Vous avez leurs noms ?

— Quoi ? Vous me soupçonnez de quelque chose ? rugit Jacques Boisvert, furieux, en postillonnant dans la figure de Frédéric.

— Non, au contraire, je veux prouver votre innocence, répliqua ce dernier en s'essuyant avec sa manche.

Jacques obtempéra et fournit trois noms d'amis ainsi que leurs coordonnées. Tous, comme lui, habitaient Labelle. Le temps fuyait. Après s'être poliment retiré, Frédéric se précipita, de sa propre initiative, en direction de l'hôpital Saint-Luc, à l'angle de la rue Saint-Denis et du boulevard René-Lévesque. Ce n'était pas bien loin et, de surcroît, sur le chemin de la basilique Notre-Dame, où auraient lieu les obsèques de Roxane. Il y avait un mystère à résoudre et seule madame Boisvert pouvait fournir une réponse exacte. Et cette femme rousse au chapeau bleu entrevue devant la maison de Roxane, probablement celle qui avait rendu visite à Henriette Boisvert, la mère agonisante, était-ce la sœur inconnue de Roxane ? Et si Roxane avait plutôt un frère inconnu ? À l'hôpital, il dut ronger son frein. Madame Henriette Boisvert était décédée trente minutes plus tôt. Frédéric glana en désespoir de cause quelques renseignements sur l'hospitalisation de madame Boisvert. Elle était là depuis un mois. La première semaine, elle parlait encore assez facilement. Effectivement, elle avait reçu à maintes reprises, et ce, dès le deuxième jour de son entrée à l'hôpital, une dame très élégante, aux cheveux roux. Son nom ? Julie, Jasmine, Louise, les infirmières se contredisaient sur ce point. Débordées de travail, elles répondaient tout en accomplissant leur boulot, et Frédéric sentait clairement qu'il les gênait inutilement. Il les remercia machinalement pour leur collaboration et sortit de l'hôpital extrêmement frustré. Avant qu'il n'arrivât à sa voiture, son téléphone portable sonna.

29

C'était Bernard à l'appareil. Son fils et sa femme étaient tombés malades en même temps, juste après le petit-déjeuner. Il avait passé conséquemment une partie de la matinée à l'urgence de l'hôpital Sainte-Justine avec eux. Tout était désormais rentré dans l'ordre. Il allait le rejoindre finalement pour manger avec lui et discuter de la suite des événements. Ils se donnèrent commodément rendez-vous dans le quartier chinois. Entre-temps, Frédéric fit un bref rapport de ses interrogatoires à Laplante. Le mystère s'épaississait, mais il fallait garder le cap en exploitant les présomptions. Après les funérailles, Frédéric et Bernard allaient passer chez Bertrand Bellavance pour le confronter. Il ne fallait surtout pas omettre de regarder en soirée ce testament enregistré, dont Roxane, en femme d'affaires avertie, avait négocié la télédiffusion, comme si elle avait été consciente de sa fin prochaine. Laplante suggéra une visite surprise chez Sylvie Boisjoli le lendemain matin tôt. Après vérification avec la gérante de la *Salle des Spectacles*, elle commençait à travailler vers neuf heures trente. Elle devait s'occuper d'un ballet présenté par des étudiantes de la polyvalente Pierre-Laporte.

Avant de se rendre au Jardin de Pékin pour y rejoindre Bernard, Frédéric gara sa voiture à mi-chemin entre le restaurant et la basilique Notre-Dame, pressentant bien que la tentative de trouver une place de stationnement plus tard serait vaine. Ils mangèrent dans la précipitation, se parlant peu. Les raviolis aux crevettes trempés dans la sauce soya à l'ail et au gingembre ravissaient tout de même les papilles gustatives des deux commensaux. Machinalement, Frédéric s'enquit de la santé de la petite famille de Bernard, lequel détailla les malaises gastriques de la maison. Dans le même temps, Frédéric se concentrait sur le goût exquis des aliments. Trêve de courtoisie, il réorienta bientôt la conversation sur leur enquête. Il importait de garder, à tout moment, un œil inquisiteur sur son environnement et de se communiquer tout détail qui pût servir d'indice. Frédéric tentait de jouer tant bien que mal son rôle de mentor. Une lueur irradia les yeux de Bernard. Il revoyait en images cette voiture bleue qui avait si délicatement cédé sa place devant la maison opulente de Roxane.

— Frédéric ! cria-t-il.

— Moins fort, s'il te plaît, je ne suis pas sourd ! Qu'y a-t-il ? Tu as reçu une révélation du Saint-Esprit ?

— Hier, à Westmount, en revenant du parc, j'ai vu le facteur qui faisait sa tournée.

— Et alors ?

— La rousse au chapeau bleu s'était sans aucun doute postée pour s'emparer du courrier éventuel de Roxane, afin de retirer de la circulation un élément gênant.

— Quoi ?

— Peut-être le compte de téléphone !

— Si tel était le cas, il s'agit de quelqu'un qui sous-estime grandement les moyens de la police.

— Et s'il s'agissait de quelqu'un qui n'a jamais eu affaire à la justice auparavant, qui est vierge en cette matière ?

— Qui aurait voulu intercepter une lettre compromettante, par exemple. Il s'agit d'une simple hypothèse, Bernard, qui ne nous avance guère. Il n'y a pas lieu de crier eurêka ! Ou Frédéric à la puissance trois !

Le repas engouffré, les deux compères se dirigèrent vers la basilique Notre-dame. Ils passèrent rue Saint-Urbain, devant le métro Place-d'Armes, d'où émergeaient par grappes une masse bourdonnante de fans aux tempes grisonnantes ou à la tignasse colorée. S'y mêlaient quelques ados ou enfants ahuris, entraînés dans la foulée du deuil incompréhensible de leurs parents. Certaines admiratrices de la première heure fredonnaient à voix retenue d'anciens succès de Roxane. Il y avait dans l'air des filets de mélodies qui se chevauchaient et qui formaient ensemble une bien étrange mélopée. À la joie des souvenirs se mêlait une affliction véritable. Une fourmilière humaine brandissait ses messages d'amour : « Roxane, tu es dans nos cœurs pour toujours »; « Nous t'aimons Roxane »; « Désormais, tu chanteras, bienheureuse, parmi les anges »; « Jamais, nous ne t'oublierons ». Frédéric tentait d'analyser froidement le phénomène de cet emprisonnement des cœurs qui excluait toute raison. La diva disparue de la pop, dont les critiques s'étaient moqué tant et plus, devait se réjouir, assise sur son nuage, de tout l'amour qu'elle avait engendré, elle, la plus kitsch des vedettes, la ringarde à paillettes, comme certains s'amusaient à l'appeler. Frédéric et Bernard montèrent la Côte de la Place d'Armes, au bout de laquelle se profilaient les deux tours néogothiques de Notre-Dame, consacrée basilique en 1982 par Jean-Paul II. À ses pieds grouillait déjà une foule immense venue rendre un dernier hommage à son idole. Le service de sécurité s'agitait nerveusement pour maintenir l'ordre ainsi que la protection des dignitaires qui se succédaient sur le parvis de Notre-Dame. Alors que Frédéric, suivi de son acolyte, se frayait péniblement un chemin à travers la cohorte des fidèles endeuillés, il fut reconnu par une journaliste de *Télé Star*, accompagnée de son caméraman. Ceux-ci se flanquèrent devant lui, lui barrant ainsi le chemin. Il reconnut Yasmina Baladi, la chroniqueuse réputée pour son humour cinglant.

— Nous avons avec nous monsieur Paquin, enquêteur du SPVM et porte-parole officiel dans l'affaire Roxane. Monsieur le détective, êtes-vous venu pour épier les faits et gestes des suspects qui rôdent sûrement autour de la dépouille de leur innocente victime ?

— Je suis ici pour me recueillir, tout comme les milliers de Québécois présents aujourd'hui à la Place d'Armes, et pour confirmer le sérieux de notre engagement auprès des proches de Roxane dans la poursuite de l'enquête menée pour débusquer le ou la coupable.

— Intéressant ! Une femme pourrait avoir commis un crime si odieux ?

— À ce stade-ci de l'enquête, aucune hypothèse n'est écartée. Il faut garder la tête froide et assembler calmement toutes les pièces du puzzle.

— Et il reste encore bien des morceaux à placer avant de l'avoir achevé ?

— Nous manquons de recul pour connaître l'étendue de ce casse-tête.

— J'imagine que vous êtes par les temps qui courent un consommateur compulsif d'analgésique ?

— Nous nous excusons, mais le devoir nous appelle. Écartez-vous, s'il vous plaît !

Bernard, qui avait écouté avec intérêt l'entrevue éclair accordée par son collègue, se demandait comment ce dernier était arrivé à garder son calme devant la cavalcade d'inepties entendues en un si court laps de temps. Sans doute fallait-il des qualités exceptionnelles pour faire face à ces énergumènes de la télé ou de la presse artistique.

Les privilégiés qui pénétraient dans la basilique défilaient sous une pluie abondante de flashes éblouissants. Une dame fort élégante, portant une robe de dentelle noire sur fond de satin mauve, précéda Frédéric et Bernard. Il s'agissait de la Ministre de la Culture populaire du Québec dont l'éloge du macramé resterait à jamais gravé dans toutes les mémoires. Elle allait sans doute figurer dans l'album souvenir produit sous les auspices de Mario Ricard. Frédéric, un peu dépassé par l'ampleur de l'hommage rendu à une vedette dont il doutait énormément du mérite artistique, se pinça le bras pour s'assurer qu'il n'était pas captif d'un cauchemar insensé. Mais il ne se réveilla pas. La réalité était d'une insolente cruauté. Bernard présenta les cartes de réservation à un préposé à l'accueil. Les deux enquêteurs franchirent le vestibule pour déambuler sur les carreaux colorés de la nef. Sous sa voûte céleste, d'un turquoise assombri par des décennies de nuages d'encens et où scintillaient faiblement des étoiles d'or, une place de choix attendait Frédéric et Bernard : le banc numéro 240 leur était attribué. De chaque côté du corridor qui débouchait sur l'autel central se succédaient les bancs de bois aux reflets caramel. Dans la rangée de droite, un peu en retrait par rapport à la chaire torsadée, d'une splendeur peu commune et qu'il pouvait admirer en se tournant vers la gauche, Frédéric et Bernard prirent place. L'œil s'accrochait inévitablement au décor somptueux qui les enveloppait : le sanctuaire et son éclatant retable sculpté, où foisonnaient les statues dans leur niche dorée, les colonnes de la nef, constituées de fuseaux assemblés aux teintes diverses et tout enluminées, les balustrades des galeries se déployant dans un enchevêtrement d'ogives rappelant la sérénissime Venise ; chaque élément détournait l'attention, par sa magnificence, de cette faune bigarrée venue accomplir un rituel étrange et plus ou moins fastidieux, une faune qu'il fallait surveiller. Tout respirait le luxe et la volupté bien plus que le recueillement.

Une foule compacte s'amoncelait sur la Place d'Armes, autour du monument élevé en l'honneur du Sieur de Maisonneuve, fondateur de Montréal, debout et bras ouverts sur son socle imposant, dont la pose solennelle et conquérante tranchait eu égard à l'attitude bien peu altière du bon peuple ronchonnant à ses pieds et qui regardait, envieux, ceux dont l'accès à la basilique était autorisé. Quelques-uns tentèrent de pénétrer dans l'église, affirmant que le responsable de leur voyage organisé avait égaré leur carte de réservation, mais on constata bientôt l'imposture et ils furent repoussés sans ménagement par le service de sécurité qui, de crainte d'un débordement disgracieux, réclama un renfort policier sur-le-champ. Le service de police répondit favorablement à la demande. Personne n'avait intérêt à perdre la face, et les policiers étaient toujours les premiers blâmés en cas de dérapage. L'attroupement des gens parut intrigant à un touriste japonais qui passait par là ; ces grappes de zinzins pas très zen massés devant l'imposant édifice religieux frappa son imagination au point où il sortit de son mutisme courtois pour interroger un passant choisi au hasard. Il s'agissait d'un fonctionnaire dans la cinquantaine qui, fidèle à son idole, avait pris aux frais de l'État une journée de congé pour assister à l'événement funèbre à la fois historique et passionnel.

— What is the event ? Someone extremely important is dead perhaps ?

— Yes, the best one, Roxane.

— Oh ! God bless you !

Et le Japonais repartit sans avoir compris de qui il s'agissait, mais heureux de n'avoir pas poussé l'impolitesse jusqu'à demander quelque précision inopportune. À ce moment, une voix retentit de haut-parleurs, exhortant chacun à se recueillir en ce jour de deuil. Chacun pourrait entendre de sa place la messe célébrée dans la basilique ainsi que toutes les allocutions qui y seraient prononcées. De plus, la cérémonie dans sa totalité, enrichie de nombreux témoignages, serait disponible dès la semaine suivante sur la chaîne *Art Max*, la nouvelle télé payante de Ricard Média. Tout espoir n'était donc pas perdu pour les fans. L'annonce eut l'effet lénifiant recherché. Puis, une vague exclamative traversa soudainement la foule ; Mario Ricard était descendu de sa limousine en compagnie de Martin Bulle. Le premier était vêtu d'un costume noir et portait un nœud papillon assorti ; son éphèbe bien protégé arborait un costume nacarat dont le chatoiement émerveillait l'œil avide des paparazzis énervés qui s'en donnaient naturellement à cœur joie. À l'intérieur du lieu saint, les notables, les amis et les membres de la famille affluaient. Frédéric vit passer sous ses yeux Jacques Boisvert, accompagné de son épouse Évelyne dont la chevelure rousse toute en boucles le troubla profondément. Il ne fallait pas établir de liens inappropriés, se disait-il. Il n'y a pas qu'un seul chien qui s'appelle Fido. Tout de même, cette femme s'était esquivée en matinée pour ne pas être présente à son interrogatoire. Fallait-il la soupçonner ? Frédéric écarta le regard de cette rousseur obsédante qui n'avait pas échappé à Bernard non plus. Les yeux de Frédéric s'orientèrent vers la gauche pour parcourir les courbures ascendantes de la chaire étagée entièrement composée de bois. D'abord, deux sculptures représentant les prophètes Ézéchiel et Jérémie, grandeur nature, trônaient sous l'ambon aux statuettes enchâssées. Au-dessus de la tribune se retrouvait l'abat-voix soutenu par des angelots et surmonté d'une femme symbolisant l'Église de Dieu. Certains touristes croyaient qu'il s'agissait de la Vierge Marie, mais les guides touristiques s'empressaient de corriger cette impression en spécifiant que la statue était une allégorie de la religion. L'auteur du *Da Vinci Code* y aurait peut-être vu Marie-Madeleine, perchée au sommet de la chaire par les bons soins d'un sculpteur membre secret de l'Ordre des Templiers. Frédéric admirait, sous l'abat-voix, l'angelot de gauche.

Dans un mouvement spontané, il en suivit le regard, lequel se posait sur les bancs de la première galerie. Il y vit quelques personnes en quête d'un siège. De là-haut, le point de vue eût été meilleur, songea-t-il. Soudain, il crut reconnaître un visage ; oui, c'était bien celui de Caroline. Celle-ci s'astreignait à une posture humble ; elle se mouvait avec une modération toute pieuse. Elle avait fixé une croix dorée à sa veste, s'était minutieusement aplati les cheveux ; elle portait un badge suspendu à une cordelette de nylon enfilée autour de son cou. Frédéric apprendrait plus tard qu'elle avait profité, pour se faufiler, de la confusion ayant régné sur le parvis de la basilique alors qu'un groupe de fans tentait le tout pour le tout pour être admis. Travestie en nonne responsable de la sécurité intérieure de Notre-Dame, elle avait franchi le seuil du lieu saint en attirant l'attention sur sa fonction fictive, la tête haute, les lèvres pincées, offrant ce battement de paupières singulier qui exprimait une assurance des plus fermes. Épatant, cette effronterie ! Frédéric éprouvait une admiration secrète pour cette emmerdeuse originale. Elle avait du cran, mais que faisait-elle là ? Bien qu'il restât beaucoup de places libres dans les deux galeries superposées qui flanquaient la nef polychrome de la basilique, la messe commença sous le regard recueilli d'une cohorte d'invités de marque, sélectionnés en bonne partie pour leur photogénie ou leur notoriété. Mario Ricard s'était certes résigné à la présence de quelques intimes ou membres de la famille de Roxane, mais il eût été mal séant à ses yeux de ternir la cérémonie funèbre par l'invasion d'un amas de laiderons à la mine vulgaire. Il s'était prémuni d'ailleurs de la critique malveillante en se déclarant soucieux de la sécurité et de la tranquillité d'esprit de ceux qui voulaient rendre un dernier hommage à leur idole. Il fallait éviter à tout prix, pour la regrettée défunte, la disgrâce d'un désordre irrévérencieux, toujours possible en présence de célébrités parfois controversées. L'heure cruciale était enfin arrivée. L'officiant était visiblement nerveux et redoublait d'effort dans sa diction ecclésiastique. Il se savait filmé. Il devait honorer sa nouvelle paroisse et être digne de son sacerdoce. La fierté qu'il éprouvait n'était pas étrangère non plus à l'argent que permettait d'acquérir son aventure télévisuelle. Il avait ressenti un coupable plaisir à se faire poudrer le bout du nez par la maquilleuse dépêchée sur place par Mario Ricard. Dieu lui pardonnerait bien cette incartade mineure. Tous ceux qui étaient sur scène quand Roxane s'était effondrée, à l'exception de Dany, se trouvaient dans l'assistance. Bertrand Bellavance était venu seul, élégamment habillé d'un costume bleu marine. Il semblait ému. Mais comment distinguer l'émotion véritable de la feinte de circonstance ? C'était une tâche difficile, voire impossible. Les grandes orgues résonnèrent. Scarlatti, Bach, Charpentier ? L'amateur de musique ancienne, éberlué, éprouvait le sentiment d'un dérapage chronologique, pour ne pas dire chronique. Sur un air pop, que Bertrand Bellavance reconnut après l'écoute d'une seule mesure, une voix claire, dont la mutation était imminente, s'envola dans l'enceinte de la basilique telle une colombe, la voix de Martin Bulle. Plutôt que les paroles originales :

> *Donne-moi les clés de ta Ferrari*
> *J'irai au café boire un Campari*
> *Fais la douce sieste et attends-moi, chéri*
> *Bientôt je reviendrai sans faire de bris*

on entendait, ébahis :

> *Accueillez-moi, mon ami Jésus-Christ*
> *Ouvrez-moi les portes de votre Paradis*
> *J'irai chanter sur vos nuages gris*
> *La paix, l'amour et la joie infinie.*

Ces paroles pieuses télescopaient celles un peu plus badines imprimées dans les cœurs et entraînaient un malaise chez les auditeurs. Dany eût saisi sur-le-champ la raison de ce vertige. Le profane, dans sa vénalité vulgaire, s'enveloppait du brocart somptueux de la pompe funèbre catholique. Un travesti avait investi sans vergogne un lieu de culte. Le

prêtre choisi pour l'office, d'origine française, et depuis peu débarqué, sentait bien un
léger ébranlement des consciences ; il maintenait cependant avec vaillance son sourire
bienveillant. Quelques carences culturelles ne
lui permettaient pas, heureusement, de per-
cer le mystère des âmes réunies devant lui.
Il pouvait conserver cette sérénité ecclésiastique toujours de circonstance et qui confére-
rait aux images et aux sons captés une légiti-
mité absolue. Le contenu religieux de la messe
fut réduit au minimum au profit d'un florilè-
ge d'éloges funèbres, de témoignages et de
prestations artistiques. Dans ce délire spectaculaire, une assistante de Ricard, effrayée par
l'aspect music-hall de l'événement, avait heureusement convaincu son patron de ne pas
solliciter la participation du Cirque du Soleil.

Aucun membre de la famille de Roxane
ne s'aventura à prononcer un éloge funèbre.
Madoline, belle brune aux yeux verts, jeune
chanteuse découverte lors de la populaire
émission de télé *Je craque pour toi mon idole !*
et qui avait été soutenue par sa marraine at-
titrée, Roxane, livra un touchant témoignage
à propos de celle qui avait su l'encourager
sans relâche et qui, par ses conseils avisés,
lui avait permis de briller dans le ciel des
étoiles du Québec. La généreuse Roxane au
professionnalisme impeccable pouvait sans
l'ombre d'un doute et à juste titre servir d'ins-

piration à tous les artistes débutants. Avant chaque prestation, elle avait été présente pour lui rappeler un acte d'une importance primordiale : réciter une prière pour que Dieu l'assistât dans son interprétation. Elle ne doutait pas un seul instant que Dieu avait toutes grandes ouvertes les portes de son Royaume à la flamboyante Roxane. Dans la litanie convenue des compliments post-mortem, personne n'oublierait non plus l'élan oratoire de Mario Ricard, qui encensa Roxane au point d'imposer à tous un sourire crispé. Il termina sa tirade en implorant la lumière de Roxane, sainte patronne en quelque sorte de tous ces jeunes loups fringants qui s'étaient engagés sur la voix du show-business, afin qu'elle les guidât vers un succès durable et mérité. Le prêtre exhiba une mine de réprobation quand il entendit les mots *sainte patronne*, qui lui semblaient à la limite du blasphème. Ricard allait ultérieurement s'expliquer sur les ondes de Radio-Cœur en affirmant qu'il ne s'agissait que d'une simple métaphore et qu'il s'était peut-être laissé emporter par son admiration sans borne pour Roxane. Quoi qu'il en fût, on prit soin de couper au montage les images qui montraient l'attitude négative de l'officiant. La messe se termina par les envolées vaporeuses d'un chœur tout à fait imposant composé de tous les finalistes des quatre saisons précédentes de *Je craque pour toi mon idole !* Les connaisseurs reconnurent l'air du *Nuper rosarum flores* de Guillaume Dufay, mais les paroles exhalaient un parfum plus moderne :

Ouvrez, Monseigneur, vos bras
À Roxane si élégante
Dans son cœur comme dans son âme
Sachez encore pardonner
Pour ses péchés si humains
Ornez la voix, qui conduit
À vous, de belles fleurs parfumées.

Les chanteurs s'étant tus, le prêtre avisa que seuls les membres de la famille et quelques proches de Roxane, déjà mis au courant, étaient autorisés à pénétrer dans l'enceinte du cimetière ce jour-là et qu'un service de sécurité veillerait au bon déroulement du rituel funéraire. Puis, dans la paix du Christ, il congédia ses ouailles avec soulagement.

30

Le cercueil aux reflets cuivrés, auquel personne n'avait accordé d'attention jusque-là, fut porté par six jeunes hommes de *Love Store*, une émission où Roxane avait déjà été invitée pour donner son opinion sur le goût vestimentaire des candidats engagés dans une course éliminatoire dont l'objectif était d'être choisi à la fois comme mari à l'essai, propriétaire d'une maison de banlieue aux airs de Beverley Hill et maître d'un gros caniche blanc. Derrière la balustrade de la première galerie, Caroline avait repéré Frédéric au parterre, à qui elle aurait aimé glisser un mot, mais elle voyait qu'il était en compagnie de son enquêteur débutant. Elle ne voulait pas le gêner, elle serait patiente et attendrait son retour chez lui avant de lui révéler le résultat crucial de sa filature matinale. Un flot d'émotions contraires la troublait. Elle se demanda si elle était trop timorée, si elle n'aurait pas dû descendre au vu et au su de tous afin de remettre à Frédéric un petit billet pour l'informer de ce qu'elle avait appris.

Le convoi funéraire arriva finalement au cimetière Notre-Dame-des-Neiges dont la vastitude et la tranquillité apaisaient les âmes meurtries ou même lasses. Les grandes portes de fer forgé étaient déjà ouvertes. Des lilas embaumaient l'air tiède. À gauche, un marronnier maladif faisait office de pleureur. Des caméramans, postés minutieusement, filmèrent l'arrivée du corbillard et de sa suite. L'un de ces professionnels de l'image animée se tenait sous un grand crucifix hissé au centre d'un ensemble sculptural monumental, destiné à l'accueil des visiteurs. Jésus-Christ était flanqué non pas de deux larrons, mais de deux archanges dorés aux ailes déployées, le surpassant étrangement en altitude. Ils avaient noble allure, debout sur leur socle de granit haut de deux mètres. Le regard fier, appuyés avec désinvolture sur une seule jambe, ils maintenaient leur équilibre gracieux. D'une main assurée, tous deux pareillement tenaient une trompette superbement élancée par laquelle ils annonçaient, de leur poste surélevé, l'imminence du jugement dernier. Un caméraman, juché dans une nacelle mobile, eut la bonne idée de saisir en images la procession funèbre déambulant en contrebas de l'un de ces archanges dont l'élégance figée symbolisait parfaitement l'arrêt définitif de la vie. Le convoi passa doucement, puis il tourna vers l'est. On parcourut le cimetière dans sa par-

tie plane sur peu de distance, pour enfin gra-
vir une colline du Mont-Royal en bifurquant
vers le nord, juste avant l'entrée du mauso-
lée Marguerite-d'Youville. On emprunta durant une minute à peine une allée étroite
bordée de vieux érables. On atteignit alors
l'endroit où allait reposer la dépouille de
Roxane, au milieu de gens autrefois riches et
célèbres. Il y avait même dans les environs
immédiats les monuments funéraires de
quelques sénateurs dont on ne saurait dire
aujourd'hui le rôle historique avec précision.

Notaire en pleine ascension, madame
Thara Minarelle, en quête d'une notoriété
profitable, s'était démenée tant et si bien qu'elle était parvenue à récupérer un caveau splendide pour une somme dérisoire. Depuis trop
longtemps, on ne payait plus les frais d'entretien de cet habitacle mortuaire finement
ouvragé où gisaient les os d'un notable jadis
prospère et socialement admiré, mais aujourd'hui inconnu et donc insignifiant. Cet
homme n'avait pas eu le bonheur d'une des-
cendance ; la paroisse ne pouvait donc plus
espérer de paiement pour l'entretien de sa
dernière demeure. Ses restes furent donc jetés
dans la fosse commune et on surajouta une
plaque sur les anciennes inscriptions gravées
afin de retrouver celles de Roxane Boisjoli,
chanteuse émérite née en 1957 à Labelle et
morte à Montréal en 2003. Hors terre, la de-

vanture du caveau, qui remontait au XIXe siècle, avait été rafraîchie pour l'occasion. Un décor néoclassique entourait la porte de l'enceinte mortuaire, richement ornée d'un grillage à motif floral. La somptuosité de l'ultime séjour de Roxane étonna presque tout le monde, mais convenait parfaitement au tournage de l'événement. Nathalie Chagnon, Sylvie Boisvert, Bertand Bellavance, Mario Ricard, Martin Bulle, dont le costume d'un rouge lustré ressortait de façon éclatante, Jacques et sa femme Évelyne à la chevelure rousse et bouclée avançaient à la queue leu leu. Certains, comme madame Minarelle, Bernard, Frédéric et Monsieur le curé s'étaient adjoints par nécessité au cortège funèbre, fort lassant en cette fin de parcours. D'autres se repaissaient goulûment d'un événement exceptionnel qui leur permettait de voir de près des vedettes de la chanson et de la télé. Il s'agissait de membres fouineurs de la famille de Roxane, des tantes et des oncles du côté paternel. Ils s'étaient extirpés de leur lointaine campagne, poussés par cette perspective jouissive de se mêler au gratin du monde artistique. C'était à la faveur d'une soirée à jouer aux cartes qu'ils s'étaient persuadés de profiter tous ensemble du lien de parenté qui les unissait à Roxane pour vivre un moment extraordinaire qui resterait gravé à jamais dans leur mémoire. On s'immobilisa devant le caveau dans une attente dont on découvrit bientôt la cause. Deux fourgonnettes bien équipées pour encapsuler des événements cinématographiques spéciaux arrivèrent en trombe : des caméramans, des perchistes et des techniciens spécialisés en descendirent. Un metteur en scène émergea du groupe. Il s'affaira à diriger la scène de recueillement à offrir et de façon qu'elle fût la plus touchante possible. Celle-ci prendrait place dans le DVD produit par Mario Ricard. Il se risqua maladroitement à conseiller Évelyne sur la mine à adopter en pareille situation. Elle s'en offusqua. Les habitués de l'univers artistique se prêtèrent de bonne grâce aux recommandations d'Andrex Lapige, passé maître dans l'art de la dramatisation de circonstance. Il n'avait plus à convaincre qui que ce fût de son talent depuis qu'il avait fait de *Love Store* l'émission de télé la plus regardée au Québec. Même Bernard et Frédéric, quoiqu'un peu agacés, se plièrent au jeu. Les plus récalcitrants ne se retrouvèrent tout simplement pas dans le DVD de Ricard Média. Tant pis pour eux !

Frédéric, tout comme Bernard, ne quitta pas des yeux Bertrand Bellavance. Les enquêteurs, en l'occurrence acteurs consentants, allaient le cuisiner sous peu et lui tirer les vers du nez.

31

Il était quinze heures. Frédéric et Bernard avaient suivi la voiture de Bellavance jusqu'à son domicile de Ville Mont-Royal. Ils lui laissèrent le temps d'entrer chez lui et quelques minutes pour respirer, pour qu'il ressentît un faux sentiment de sécurité. Frédéric demanda de nouveau à Bernard de se contenter de prendre des notes et de limiter ses interventions le plus possible, car il avait besoin de toute sa concentration pour tarauder le probable hypocrite et l'acculer dans ses derniers retranchements. Bernard, absolument persuadé de la culpabilité de Bellavance, ne demandait pas mieux que d'effaroucher ce dandy criminel en liberté surveillée. On verrait bien qui se sortirait le plus élégamment de la confrontation.

Frédéric sonna. Bellavance ouvrit la porte sans montrer quelque signe d'étonnement que ce fût. Homme intelligent, il avait déjà remarqué qu'on le filait.

— Je ne suis pas surprise de vous revoir.
— Vous nous permettez d'entrer ?
— Ne vous gênez pas !

— Dites-moi, monsieur Bellavance, pourquoi nous attendiez-vous ?

— Quand on ne trouve pas le criminel, on se met en tête de savoir qui il est. Et comment choisit-on celui qui sera la victime d'un harcèlement aveugle ? En établissant des présomptions sur le sable mouvant des apparences. Monsieur, est-ce que vos hommes connaissent seulement la signification du mot *discrétion* ?

Frédéric fit à Bellavance la lecture de ses droits. Le suspect haussa les épaules et regarda vers le haut en signe d'indifférence. L'interrogatoire démarra donc.

— Alors, vous prétendez que nous faisons fausse route ? Allez-vous nier que vous avez fait suivre votre Roxane adorée, que vous avez engagé un photographe au talent indéniable pour qu'il prît des clichés compromettants, pour ne pas dire illégaux, d'elle et de son amant ?

— Non, naturellement, mais je ne suis pas criminel pour autant. J'avais besoin d'être rassuré ; pour y arriver, j'ai emprunté une voie qui me nuit aujourd'hui. Vous devez savoir que le recours à un photographe pour la filature d'un proche soupçonné de trahison est monnaie courante. Pourtant, au fond de moi, j'espérais me tromper. J'aurais préféré que ma démarche me fît honte. Je ne m'attendais pas à voir ce que vous avez vous-même vu, j'imagine. Les doutes qui m'avaient oppressé se sont révélés fondés. Ce fut pour moi un déchirement douloureux. Décidément, ce photographe est d'une stupidité à faire pleurer. Cet idiot est allé vous déballer son sac !

L'attitude de monsieur Bellavance était admirable de simplicité. Il admettait les faits le rendant suspect tout en protestant de son innocence. Il faudrait une preuve en béton pour venir à bout de cet homme-là ou d'improbables aveux.

— Ce photographe est un arriviste minable, marmonna-t-il, comme s'il avait été seul.

— Comment pouviez-vous croire qu'il se tairait ?

— Parce que je n'ai jamais cru qu'on pût me prendre pour un criminel.

— Pourquoi, poursuivit Bernard, n'avouez-vous pas votre crime au lieu de jouer au plus brillant avec nous ? Vous savez qui défraie les coûts des enquêtes criminelles que nous menons, monsieur ? Le contribuable, l'honnête homme qui travaille péniblement pour payer les impôts qui l'écrasent.

L'enquêteur novice, fichtrement agacé par la nonchalance prétentieuse du suspect, n'avait pu contenir sa frustration hargneuse. Il aurait poursuivi son échappée si Frédéric ne lui avait pas rabattu le caquet par une expression du visage sans équivoque : dents serrées, narines gonflées, yeux arrondis réclamant le silence. Mais ce dernier s'étonna plus encore de la réponse d'un Bertrand Bellavance fortement ébranlé qui laissait enfin tomber le masque.

— Oui, je voulais tuer Roxane, mais pas de cette façon, déclara-t-il d'une voix rauque, les yeux fixant un horizon invisible.

— C'est donc vous qui l'avez tué, enchaîna Frédéric, sonné par un aveu arraché si aisément.

— Non ! vous n'avez pas compris ! protesta Bellavance en soufflant maladroitement.

Puis, la bouche mi-ouverte, les yeux humides de chagrin, il s'abandonna à un désarroi profond. Il encadra sa tête de ses deux mains et se courba sous le poids de la gêne, prostré de remords. Il étouffait avec difficulté ses sanglots.

— Je l'aimais, je l'aimais tant, répéta-t-il.

Frédéric lui laissa quelques secondes de répit avant de reprendre l'interrogatoire.

— Alors, comment vous vous y êtes pris ?

Bellavance releva la tête et regarda son accusateur avec dédain.

— Jeune homme, que de présomptions ! Que de méconnaissance du cœur humain ! Roxane était tout pour moi, poursuivit-il en retrouvant de l'aplomb, et je ne suis pas un meurtrier.

— Vous avez dit que vous l'aviez tué, glissa Bernard, qui s'impatientait déjà.

— Non ! j'ai dit que je voulais la tuer, mais, pour être clair, pas physiquement. Je voulais mettre fin à sa carrière, je voulais renverser l'idole, la pousser de son socle pour qu'elle se fracassât sur le marbre froid de son insolence.

— Expliquez-vous, soupira Frédéric tout en dardant des yeux Bernard pour qu'il se tût.

— J'aurais quelque chose à vous montrer. Vous permettez que j'aille chercher un paquet qui se trouve dans mon secrétaire ?

Bellavance montra du doigt un chef-d'œuvre d'ébénisterie richement décoré, aux attributs champêtres, la réplique soignée d'un Louis XVI. Il comportait, outre l'abattant orné d'une gerbe florale en camaïeu bleu, deux vantaux, dans sa partie inférieure, agrémentés de marqueterie d'oiseaux. Les dorures se déclinaient en colonnettes torses, frise de rosaces, chutes de feuillages et encadrements crénelés. Ce mobilier royal reposait sur des pieds plats mignards surmontés de majestueux cônes inversés gainés de feuilles d'acanthe luisantes. Charme, opulence, raffinement exquis cachaient cependant un amas de monstruosités. Bellavance, dans l'attente d'une réponse à sa requête, se buta d'abord à une hésitation de la part de Frédéric qui, se résignant, fit un hochement de tête en guise d'autorisation. Bernard, méfiant, referma sa main droite sur son arme, prêt à dégainer. Le suspect se dirigea tranquillement vers le meuble magnifique, en releva l'abattant, puis calmement en sortit un paquet volumineux. Il se retourna, le visage pâle. La sueur perlait sur le front de Bernard, mais, dans l'immédiat, rien ne le menaçait, aussi fallait-il garder son sang-froid. Bellavance tourna la tête vers la table basse de la salle de séjour, y déversa le contenu du paquet. Frédéric et Bernard s'avancèrent. Ils reconnurent les photos que leur avait présentées le photographe délateur, mais leur nombre en était multiplié par vingt. Il y en avait là sans doute plus d'une centaine. Bernard, pour plaisanter, demanda à Bellavance s'il pensait en faire une distribution postale à grande échelle. Le mystère entourant ces clichés scabreux allait enfin être révélé.

— Vous n'êtes pas très loin de la vérité. Vous n'êtes pas sans savoir que Roxane et moi avions prévu, dès la fin de sa tournée, qu'elle a à peine eu le temps d'amorcer, de sceller notre union solennellement dans cette même basilique où nous étions ce matin. Occupée comme elle l'était, elle m'avait laissé le soin d'organiser notre mariage. Tout allait bien jusqu'à ce qu'une de mes clientes me narguât en me parlant de cette photo où ma bien-aimée s'affichait en public avec un homme beaucoup plus jeune que moi. Étais-je vraiment naïf ? Étais-je l'instrument d'un complot diabolique ? On visait peut-être la captation de ma fortune ? Mon sentiment tendre et sincère pour Roxane se troubla malgré ses protestations et l'assurance qu'elle me donnait de m'aimer. L'inopportun bellâtre n'était, disait-elle, que son confesseur. J'avais beau me répéter que j'avais tort de me tourmenter sans cesse, rien ne m'apaisait. Un jour, j'ai opté pour les grands moyens. Je voulais me convaincre de l'innocence de celle que j'adorais véritablement. J'ai fait appel aux services de monsieur Michel Garnier dont l'annonce figurant dans les pages jaunes m'inspirait confiance. Hélas ! sur ce point, j'admets avoir commis une gaffe monumentale, irréparable. On dit que l'amour rend aveugle, mais la jalousie chasse quant à elle la raison et tout ce qui est bien en nous : la générosité, la compassion, la tendresse. Et dans le vide immense laissé en moi se sont engouffrés le dépit et l'amertume qui se sont accrus au point de devenir une haine sourde et dévastatrice. Moi, qui apprécie plus que tout au monde la sincérité, je me suis mis à jouer, à observer avec mon sourire habituel celle qui incarnait le mensonge, le mépris et la trahison. Je conçus une vengeance digne d'un scénario hollywoodien. J'allais la défier à son propre jeu, la punir en dissimulant à mon tour comme elle, non, mieux qu'elle. J'ai fait tirer plus d'une centaine de photos, cent trente exactement. Ce nombre correspond à celui des invités à notre mariage. Après la célébration grandiose de la cérémonie nuptiale en la basilique Notre-Dame, tous les amis, parents et proches de Roxane – je n'avais pas planifié d'inviter les membres de ma famille par ailleurs fortement disséminés, à l'exception de ma vieille sœur un peu sénile que j'avais mise au parfum de l'affaire et qui m'approuvait à 100% –, je disais, oui, tous les convives qui devaient se retrouver autour d'une belle table somptueusement dressée au Ritz Carlton seraient devenus les témoins de la déchéance définitive de Roxane. Je voulais en faire une vivante morte en attendant le suicide que j'anticipais. Mon plan était le suivant. J'en aurais mis plein les papilles gustatives aux convives réunis dans la bonne humeur et bercés par mes airs classiques préférés : une sélection baroque divine mêlant du Lully, du Rebel, du Rameau, du Vivaldi et qui aurait abouti au requiem de Mozart. Au centre de la pièce aurait trôné un splendide gâteau blanc comme neige, symbole de pureté, un chef-d'œuvre d'architecture culinaire qu'un pâtissier de grande renommée eût sculpté, une réplique, à échelle réduite naturellement, du Panthéon de Paris.

— Je m'excuse, l'interrompit Frédéric, mais ne s'agit-il pas d'une nécropole ?

— Nous y sommes : le requiem de Mozart et la nécropole pour accueillir la déroute tragique de Roxane. Le dessert n'aurait jamais été servi. En lieu et place, le maître d'hôtel aurait distribué à chacun une belle enveloppe bien cachetée, avec la mention *Ne pas ouvrir avant le signal du nouveau marié*. Et vous devinez bien ce qu'ils auraient vu en l'ouvrant : Roxane en flagrant délit de turpitude, dans toute l'ampleur ordurière de sa sexualité triviale. Et quand elle se serait aperçue du désastre, de l'effondrement assuré de sa carrière, quand rageuse et déconfite elle aurait ployé sous le poids de l'humiliation, j'aurais saisi le microphone pour réclamer immédiatement le divorce. J'aurais demandé pardon à mes invités, expliqué mon geste par la douleur extrême d'un amour cruellement blessé et que seule une vengeance calculée pouvait apaiser. Je souffre aujourd'hui, poursuivit Bellavance, la voie étranglée et les yeux hagards, avant de se retourner brusquement vers Frédéric pour l'interpeller, et savez-vous pourquoi ?

— Non ! mais je sens que je ne tarderai pas à l'apprendre.

— Parce que je n'ai pas pu me venger ! Ce n'est pas moi qui ai tué Roxane. Je me suis fait platement coiffer et par qui ?

— Nous aimerions bien le savoir !

— Trouvez cet être abject ! Je suis désolé, messieurs, déclama l'antiquaire, comme animé d'un souffle tragique, je n'ai pas tué Roxane, je ne suis pas coupable. Je suis innocent et je le regrette amèrement. Trouvez le coupable et qu'il paie pour cette faute répugnante !

Épuisé par son emportement imprégné de souffrance, de désillusion et de frustration, il se dirigea machinalement vers un fauteuil et s'y enfonça doucement, avec la lenteur involontaire de ceux qui s'abandonnent à leur désespoir.

— Partez ! leur ordonna-t-il en murmurant. Laissez-moi tranquille. Trouvez le coupable.

— Partons ! fit Frédéric en regardant son collègue.

Il était seize heures trente. Frédéric téléphona à Laplante pour narrer brièvement sa journée. Son chef lui rappela qu'il serait sans doute instructif d'écouter à vingt heures sur TVM nulle autre que Roxane lire son testament. Une nouveauté piquante en matière de télé réalité. Frédéric raccompagna son coéquipier chez lui. Sa femme serait contente de le voir arriver plus tôt que d'habitude. Avant de descendre de la voiture, il exprima un doute qui l'habitait.

— Et si l'histoire de Bellavance n'était que pure invention ! Et s'il n'était qu'un brillant

acteur qui essaie de nous écarter de son chemin ?

— Il faut le garder à l'œil !

— Qui sait, le coupable est peut-être déjà
mort. Peut-être était-ce ce Fichu ?

— Et il se serait jeté de son balcon pour
échapper à la justice ?

— Ce n'est pas impossible.

— Je te félicite !

— En quel honneur ?

— Tu commences à douter de tout. Il n'y
a pas de meilleure façon de penser.

— Il y a cependant une chose dont je ne
douterai jamais, c'est de ma virilité.

— Ne serre pas les dents comme ça ! Moi
non plus, je n'en doute pas. Va et rends ta
femme heureuse. Ne t'inquiète pas inutilement. Je garderai mes distances.

— Je ne veux pas être désagréable, mais
ce matin, quand Laplante m'a appelé, j'ai entendu une voix en arrière-plan qui disait :
« Dis-lui qu'il aille rejoindre son minet ». Je
pense qu'on se moque de moi. Je n'aime pas
cette situation.

— Je te comprends. Tu n'as qu'à demander un changement de mentor. On te l'ac-
cordera peut-être.

— Salaud ! dit-il en riant. Et on pensera
que tu m'as peloté. Il n'en est pas question.
Merci, Fred, de m'avoir raccompagné.

Quand Bernard descendit de la voiture, Frédéric éprouva un sentiment à la fois rafraîchissant et déroutant : celui d'une amitié naissante avec un mec hétéro qu'il avait jugé d'abord plutôt niais. Il essaya de ne pas trop y penser et retourna au bercail en écoutant chanter Joséphine Baker sur Radio-Music Hall. Elle flûtait une grivoiserie : *Voulez-vous de la canne à sucre ?*

32

Frédéric venait à peine d'arriver chez lui qu'il entendit frapper nerveusement à sa porte. Il devina bien qu'il s'agissait de Caroline. Heureusement qu'elle avait troqué son costume de nonne pour des vêtements qui lui seyaient parfaitement : un chemisier cintré à pois bleus et un jean moulant coupé dans un de ces nouveaux tissus contenant entre autres du spandex.

— Sœur Caroline s'est littéralement transformée en jeune fille dévergondée à ce que je vois !

— Ne te moque pas de moi !

— Au contraire, c'est un compliment. Je me souviens du début de *Dieu créa la femme*, où Brigitte Bardot est justement traitée de dévergondée. Je crois que ce mot s'est cristallisé dans ma mémoire à partir de ce moment-là.

— J'aime bien jouer les caméléons. Ce matin, j'avais envie d'interroger tous les épiciers ayant pignon sur rue autour de la *Salle des Spectacles* pour savoir s'ils se souvenaient d'avoir vendu du jus de petits fruits à une gueule un peu louche le jour où Roxane s'est effondrée, puis je me suis dit que tout finissait par se savoir et que je te jetterais inévitablement dans l'embarras. Or, je t'ai promis de t'appuyer et non de te nuire. J'ai résolu alors d'explorer une voie vierge pour ainsi dire. J'ai filé Sylvie Boisjoli, la régisseuse et accessoiriste.

— Je ne me souviens pas de t'avoir donné son adresse.

— Sans doute qu'elle n'avait rien à se reprocher, du moins jusqu'à présent. Son numéro de téléphone et son adresse se trouvent dans les pages jaunes sous la rubrique un peu particulière de coordonnatrice d'événements en tout genre. Il est écrit : *Je ferai de vos fêtes des succès mémorables*. Je l'ai suivie ce matin. Elle habite à proximité du métro Atwater dans un immeuble de la rue de Maisonneuve. Je me souvenais de l'avoir vue à l'émission d'Hervé l'Œil et d'ailleurs une image prise par son cameraman avait paru le lendemain dans le *Journal des Stars* et je l'avais avec moi. J'étais prête à intervenir.

— C'est ce que je constate. Continue, je t'en prie.

— Ce qu'il y a d'ingrat dans la filature est qu'il est bien risqué de lire en attendant que votre suspect se manifeste. Aussi ai-je trouvé les quinze minutes d'attente terriblement longues et je n'ose imaginer dans quel état sont ceux qui doivent patienter des heures avant d'entrer en action. Toujours est-il qu'elle est apparue, habillée plutôt simplement : un imper léger d'un beige banal, un foulard cuivré et tenant à la main un sac en cuir marron d'une élégance contrastante. Elle a remonté de Maisonneuve jusqu'à l'avenue Greene où se côtoient de fines boutiques se disputant la clientèle huppée de Westmount. Elle est entrée dans une bijouterie dont j'ai noté le nom et l'adresse ; il s'agit de *Cailloux lumineux*. J'ai hésité avant d'y entrer ; tellement longtemps que j'ai vu madame Boisjoli en ressortir, héler un taxi pour s'y engouffrer et disparaître. Je n'étais pas très chic, mais, n'écoutant que mon courage ou ma témérité d'écervelée – qu'en sais-je ? –, j'ai pénétré dans la boutique en essayant de compenser par un noble maintien et un port de tête altier ma condition de roturière peu habituée au grand monde. Mais au fond, pourquoi Sylvie Boisjoli y aurait été plus à son aise ?

— Et là, qu'as-tu dit ?

— « Je cherche ma mère, ai-je inventé, une dame en imper beige avec un foulard et un sac à main marron. » « Madame Arsenault vient de partir. Votre mère a des problèmes de santé ? » m'a-t-il demandé. J'ai tendu alors une perche pour en savoir un peu plus. « Je n'étais pas trop d'accord avec son choix, ai-je enchaîné. » Alors, le joaillier a prononcé ces paroles énigmatiques : « Je ne peux pas aller contre la volonté de mes clientes, même quand l'une d'elles me demande quelque chose d'aussi insolite que de cacher ce qu'elle a de plus précieux. Ça lui venait de votre grand-mère, une dame merveilleuse à ce qu'il paraît ! » « Oui, ai-je répondu, excusez-moi, mais je dois tenter de retrouver ma mère. » « Elle est fragile, n'est-ce pas ? » a-t-il poursuivi. « Quelques problèmes sans gravité, mais elle est suivie », ai-je conclu avant de me retirer précipitamment. J'avais tellement peur que le bijoutier ne se rendît compte de la supercherie. Hélas ! Je n'ai pas été capable d'improviser très longtemps. Mon cœur explosait dans ma poitrine ; j'avais peur de m'évanouir.

— Quelque chose cloche dans ton récit si animé. Le joaillier a parlé de madame Arsenault et non de madame Boisjoli. N'aurais-tu pas fait erreur sur la personne ?

— Tu me prends pour une demeurée ! Je suis absolument sûre de moi. C'est tout simplement qu'elle a fourni une fausse identité.

— Oui, et tu crois peut-être qu'elle avait entre les mains la perle manquante de la broche de Roxane.

— Je regrette de n'avoir pas pu garder mon calme. J'aurais pu lui faire préciser ce

que les paroles « ce qu'il y a de plus précieux »
représentaient pour la Boisjoli incognito.

— Il faudrait que tu cesses cette participation à mon enquête.

— Tu crois que je suis inutile ?

— Non, je dirais plutôt dangereuse pour
la suite de ma carrière.

— Pardonne-moi, désormais, j'essaierai
de m'en tenir à la sphère des déductions.

— Excellente idée !

Frédéric se méfiait de la bonne foi de sa
nouvelle amie, mais il ne pouvait nier qu'elle apportait de l'eau à son moulin et que,
grâce à elle, l'enquête était relancée de plus
belle. Aussi protestait-il moins par conviction que par devoir. Cependant, une blessu-
re d'amour-propre l'incommodait. Pourquoi
n'avait-il pas eu jusque-là le moindre soupçon à l'égard de cette Sylvie Boisjoli ? Passant à une idée plus agréable, il proposa à
Caroline de casser la croûte avec lui. Il prépara des sandwiches au jambon et au gruyè-
re ainsi qu'une salade verte.

L'heure du testament télévisé survint.
Roxane se présenta à l'écran, les cheveux re-
montés à la Simone Signoret. Elle portait une
jolie robe bleu royal taillée avec soin et surtout, ce qui sauta tout de suite aux yeux de
Frédéric, sa broche fétiche. Elle était complète. Aucune perle n'y manquait. Et le testament avait été très récemment enregistré,

ce qui rendait Sylvie Boisjoli d'autant plus suspecte si le témoignage de Caroline se révélait exact. Le message de Roxane se déclinait en termes simples.

— Si vous me voyez et m'entendez, c'est que je suis morte. Chacun son tour. Je vais perdre bientôt ma mère et j'en ressens une peine immense. Peut-être me suis-je éteinte très vieille et oubliée de tous ! Non, ce n'est pas possible. Je suis sûre que je resterai toujours présente dans le cœur de quelques admirateurs fidèles. C'est par vous que je vivrai au-delà de ces images. Passons aux détails prosaïques de mon testament. Jacques ! Mon frère que j'ai mal aimé, mais à qui je dois beaucoup, je te lègue 40% de ma fortune restante. Dernièrement, ma mère m'a murmuré quelque chose de particulier. Je me suis dit : « Elle délire ! » Elle m'a dit : « Tu as une sœur ! » Révélation étonnante ou souhait non réalisé, qu'en sais-je ? Si elle se reconnaît, qu'elle se déclare et 10% de mes avoirs lui appartiennent. Il reste encore 50% qui ira à l'*Association nationale des chats de gouttières*. Ceux qui me connaissent bien savent à quel point j'ai été traumatisée le jour où, par manque de concentration au volant, j'ai écrasé une belle chatte grise. Ce jour-là, je n'ai pas seulement fauché une vie, j'ai profondément chagriné une jeune fille formidable. J'espère qu'avec ce dernier geste, elle saura m'accorder son pardon. Madame Thara Minarelle, ma notaire, s'occupera des funérailles, et je suis persuadée qu'elle le fera avec droiture. Voilà tout. Adieu, chers amis.

— Frédéric ! s'exclama Caroline.

— Qu'y a-t-il ?

— Elle n'a rien laissé à Dany. Il va perdre sa mère une seconde fois.

— Je crois bien qu'il ne l'a jamais retrouvée. Ce qui retient mon attention, c'est plutôt cette sœur mystérieuse. C'est peut-être la femme rousse que tu as vue à l'hôpital et qui était stationnée devant la maison de Roxane. À moins que ce ne soit la femme de Jacques ?

— Il se serait marié avec sa sœur !

— Ce n'est pas ce que je veux dire. Il y a simplement une confusion possible entre les deux, c'est tout ! Et Jacques, le frère de Roxane, m'a raconté que sa mère avait donné naissance à un enfant qu'elle aurait abandonné.

— Peut-être qu'elle a maintenu un contact secret avec cet enfant. Avec l'héritage en perspective, il va sans doute se manifester. Il faudrait faire appel aux parents adoptifs afin de le retracer.

— C'est une idée. Je dois d'abord bien réfléchir pour ne pas commettre de fautes.

— Tu dois suivre ton intuition.

— Pour l'instant, Sylvie Boisjoli me paraît bien suspecte. Encore faut-il récolter des preuves irréfutables, sinon des aveux bien nets. Je vais laisser un message à Laplante pour qu'il mette des stagiaires sur l'affaire. Qu'ils arpentent les environs de la *Salle des Spectacles* pour savoir si une personne louche n'aurait pas acheté du jus de petits fruits ou de framboise. Il faudra aussi bien cuisiner Sylvie Boisjoli. Si je réussis à l'énerver suffisamment, elle commettra tôt ou tard une erreur qui lui sera fatale.

— Je vois que ça travaille là-dedans !

Quand Frédéric avait l'impression d'approcher de son but, il sentait un fluide crispant couler dans ses veines. Il avait grand peine à se détendre. Caroline s'en aperçut. Elle veilla à ce qu'il se calmât tout en buvant quelques verres de pastis. Elle s'entretint avec lui. Il parla de ses voyages en Europe, de ses amours. Il céda au vertige auquel le livrait l'alcool et se confia. Il avoua enfin que son cœur battait très fort pour ce mec qu'il avait zieuté au cabaret. La passion évidemment réfutait la logique. C'était pour cette raison qu'il la craignait tant. Son regard avait croisé furtivement ce jeune aux yeux perçants et limpides. Un frémissement électrique avait alors parcouru tout son corps. Ce souvenir imprimé dans la fibre de sa chair lui révélait l'insolente espièglerie de Cupidon. Pour l'heure, c'était Morphée qui lui tendait les bras. Divinité qui prenait la forme en l'occurrence de Caroline, qui se dévouait pour son ami amolli en l'aidant à se coucher, en le bordant avec tendresse et en réglant son réveil. La journée du lendemain serait déterminante.

33

Un faisceau de lumière tira Frédéric du sommeil. Il désamorça son réveil. Il eut le pressentiment qu'il arriverait un événement terrible. Il tenta de chasser cette idée noire. Il fallait avant tout être efficace. Machinalement, il se prépara. Avant de quitter son condo, il téléphona à Bernard, lui demanda de ne pas oublier son appareil photo miniature. Frédéric, par ailleurs, glissa le sien dans une des poches de son imper au cas où son collègue oublierait de s'exécuter. Il parvint à parler à son chef. Laplante l'écouta attentivement. Il accepta de déployer une équipe de stagiaires pour tenter de retracer, si cela était possible, celui ou celle qui avait acheté l'arme du crime, soit le jus de framboise. L'idée pouvait paraître saugrenue. Elle avait l'avantage énorme de conforter les autorités dans leur sentiment de faire l'impossible pour que triomphât la justice. Le balayage méthodique du quartier des spectacles serait rapporté sans l'ombre d'un doute par les journalistes. Cette initiative dont il fallait peu attendre allait redorer l'image de la police auprès de la population. C'était déjà ça. Frédéric eût aimé obtenir un mandat de perquisition pour que des fouilles systématiques fussent effectuées au domicile de Sylvie Boisjoli et à la *Salle des Spectacles*, mais il savait trop bien que de simples soupçons ne convainquaient jamais un juge de paix d'en émettre un.

À huit heures trente, Sylvie Boisjoli, qui s'apprêtait à entrer sous la douche, sursauta au son strident de la sonnette. Elle était nue. Elle enfila rapidement son peignoir de ratine rose et, mal à l'aise dans cette tenue, elle se rendit à l'interphone pour y apprendre que deux enquêteurs du SPVM désiraient l'interroger sur-le-champ. Elle aurait préféré se doucher d'abord et s'habiller convenablement. Frédéric insista pour monter à l'appartement sans plus tarder. Un peu dépitée, elle déclencha le système de déverrouillage de la porte d'entrée. Quelle arrivée brutale ! Quand Frédéric la vit, les cheveux en pagaille, les lèvres pâles, l'allure figée, il comprit qu'elle venait de se lever. Il s'en réjouit : « Elle n'aura pas eu le temps de dissimuler quoi que soit », pensa-t-il. La mettre à l'écart était dès lors prioritaire pour une inspection fructueuse.

— Veuillez nous excuser pour le dérangement. Nous pouvons nous asseoir pendant que vous prendrez votre douche et que vous vous vêtirez ?

Bousculée et pas du tout habituée à recevoir la visite de la police, elle se plia aux volontés de Frédéric sans rechigner et en arborant un sourire contraint. L'inquiétude se lisait dans ses yeux. Elle prit le chemin de la salle de bains. Le vestibule était exigu et débouchait sur la salle de séjour. Malgré sa superficie restreinte, il y avait contre le mur, sous une glace ovale, une petite console sur laquelle reposait une élégante boîte bleue. Sur celle-ci figurait un monogramme doré. Un L croisait un C. *Cailloux lumineux*, le nom de la bijouterie de la rue Greene. Caroline n'avait pas tort. Toute cette histoire était vraie. Frédéric enfila un gant de latex. Il ouvrit délicatement la boîte. Bernard était intrigué. À l'intérieur, il y avait un pendentif : reliée à une chaînette d'or, il y avait une turquoise en forme de larme. Point de perle. Merde ! Alors, Frédéric se souvint de ce que lui avait rapporté Caroline, que cette fausse madame Arsenault avait demandé que l'on cachât ce qu'elle avait de plus précieux. Il tourna le pendentif et apparut la perle, soigneusement enchâssée, pour qu'elle reposât contre le cœur de Sylvie. Frédéric commanda à Bernard la prise de quelques clichés. Le tout fut replacé ensuite dans son état initial. Frédéric jeta un coup d'œil à la chambre à coucher en quête d'une perruque rousse. Un fouillis notable régnait en ce lieu où les vêtements jonchaient le sol. L'espace libre au plancher était à peine suffisant pour se faufiler. Un amas de produits cosmétiques et d'accessoires comme le nécessaire d'épilation, le séchoir à cheveux, le fer à friser, la pince à recourber les cils ainsi qu'une multitude de courriers disparates s'entassaient dans un désordre dégoûtant sur l'imposante commode à miroir rectangulaire qui faisait face au grand lit dont les draps étaient défaits et emmêlés, indice d'un sommeil agité. Une odeur légère de renfermé révélait un manque d'aération. Frédéric fit signe à Bernard de le suivre à la salle de séjour. Ils s'y installèrent, chacun dans un fauteuil de toile moutarde aux lignes fort banales. Restait la causeuse fleurie aux motifs de tournesols qui attendait Sylvie. Bernard observa Frédéric. Il était de toute évidence plus tendu qu'à son ordinaire. Celui-ci tenait appuyée sa main droite sur son front et semblait absorbé dans une réflexion dont il devinait un peu la teneur, car il avait bien compris le caractère dramatique de la perle retrouvée. Frédéric releva la tête et se désigna pour exprimer son souhait de conduire l'interrogatoire. Bernard capta le message immédiatement. Il s'en tiendrait à la prise de notes. On entendit des pas. Puis, quelques minutes plus tard, Sylvie sortit de sa chambre.

Elle vint s'asseoir devant les enquêteurs l'air plus assuré. Elle portait un chemisier de coton blanc et un jean noir. Elle s'était discrètement maquillée.

— J'ai fait le plus vite que j'ai pu, dit-elle. Mais je ne pourrai pas vous parler très long-temps puisque je travaille ce matin.

— Nous n'avons que quelques questions à vous poser pour l'instant. D'abord, com-ment s'appellent vos parents ?

— Mes parents n'ont rien à voir avec le meurtre de Roxane, je peux vous en assu-rer.

— Je n'en doute pas. Comment s'appel-lent-ils ?

— Géraldine et Maxime Boisjoli.

— Ils habitent où?

— À Saint-Jovite. Près du Mont-Trem-blant.

— Et de Labelle.

— En effet.

— Ils assistaient au dernier spectacle de Roxane ?

— Pas du tout. Mon père est propriétai-re d'une petite quincaillerie et ma mère fait sa comptabilité. Ce sont d'honnêtes gens et je ne comprends vraiment pas pourquoi vous m'interrogez à leur sujet.

Frédéric avait remarqué que les pupilles de Sylvie s'étaient dilatées, manifestation d'un malaise certain.

— Connaissez-vous la sœur de Roxane ?

— C'est une histoire à dormir debout. Je suppose que vous avez regardé le testament télévisé de Roxane. Pour la paraphraser, n'ayons pas peur d'affirmer qu'il s'agit du délire d'une femme malade, qui avait perdu pied face à la réalité.

— Roxane a réservé pour cette sœur une partie de sa fortune.

— Franchement, si Roxane avait eu une sœur, pourquoi ne se serait-elle pas manifestée plus tôt ?

— Peut-être par délicatesse, pour ne pas s'immiscer dans une vie trop étrangère à la sienne.

— Il est vrai que la pauvre Roxane en avait déjà par-dessus la tête avec l'irruption dans sa vie d'un fils pas vraiment conforme à ses idéaux maternels.

— Alors, vous croyez que cette sœur attendait un moment propice pour surgir de l'ombre ?

— Je n'ai rien dit de tel. Je ne crois d'ailleurs pas à l'existence de cette sœur. En tout cas, si celle-ci avait existé, elle aurait forcément eu honte de se montrer.

— Pourquoi donc ?

— Roxane a laissé 50% de sa fortune à des chats de gouttière et 10% à cette supposée sœur. Quelle humiliation ! De quoi lui fermer le caquet pour l'éternité. De toute façon, sa fortune avait considérablement fondu au fil des ans.

— Changement de propos, vous fréquentiez madame Henriette Boisvert ?

— Pourquoi l'aurais-je fait ? le questionna-t-elle, se contraignant maladroitement à un comportement naturel.

— Comme vous côtoyiez la fille depuis fort longtemps, vous auriez pu rencontrer à l'occasion la mère, c'est une question de bon sens.

— Mes rapports avec Roxane étaient de nature strictement professionnelle.

— Quelqu'un de bien intentionné, sans doute, nous a affirmé que vos relations avec Roxane étaient très tendues. Et que vous étiez très envieuse de son succès.

Sylvie Boisjoli ne parvenait plus à contenir son anxiété. Ses mains tremblaient. Elle se lança dans une tirade désespérée durant laquelle Frédéric et Bernard demeurèrent impassibles.

— Comment ? Qui a pu vous mentir si effrontément ? Nathalie ? Non, elle est ma collègue, elle me connaît bien. Dany ? Je sais qu'il est parti en Amérique latine. Et s'il y a quelqu'un d'envieux, c'est bien lui. Je pense que s'il avait pu changer son corps contre celui de sa mère, il l'aurait fait. Alors, c'est ce Bellavance, ce prétentieux, monsieur qui sait tout ! Vous ne dites rien ! Pourquoi m'accuser, moi ? On cherche un bouc émissaire. Oh non ! j'ai trouvé, c'est ce salaud de Ricard.

— Vous n'allez pas nommer toute la ville. La question se résume à savoir si vous aviez des motifs pour assassiner Roxane.

— Ce n'est pas possible ! s'exclama Sylvie, qui semblait renversée, je n'y suis pour rien. J'ai servi Roxane fidèlement, j'ai célébré ses succès. À la limite, on pourrait dire que je me suis consacré à sa carrière avec passion. Attendez !

Sylvie se leva et se rendit à sa chambre. Frédéric était perplexe ; Bernard, inquiet. Elle revint bientôt avec un album qu'elle brandit comme une bouée de sauvetage. Elle en tourna les pages pour montrer les coupures de journaux et de magazine qui se rapportaient aux triomphes de Roxane. Elle les commentait, la gorge serrée, les yeux humides. Sur l'une des photos, Roxane apparut avec sa broche fétiche. Aussitôt, Sylvie se redressa et regarda en direction du vestibule, mais elle se ravisa aussitôt pour détourner l'attention de la course inopportune de son regard. À tour de rôle, avec un sourire qui réclamait la clémence, elle regarda dans les yeux les deux enquêteurs.

— Excusez-moi ! La mort de Roxane est récente. Je suis submergée par l'émotion. Je n'ai plus rien à vous dire. Vous pouvez me laisser, s'il vous plaît ?

— Nous sommes des gentlemen, pas des bourreaux. Nous vous reparlerons quand vous vous serez remise de vos émotions, ajouta Frédéric.

La perspective d'être à nouveau interrogée ne plut guère à Sylvie, mais elle se sentit soulagée tout de même de voir les deux hommes se lever et quitter les lieux. Frédéric eut le sentiment du devoir accompli. L'animal était traqué.

Une fois sortis de l'immeuble où habitait Sylvie Boisjoli, il ne fallait surtout pas qu'ils perdissent celle-ci de vue. Frédéric expliqua à Bernard qu'il resterait en observation devant l'immeuble d'où la suspecte ne manquerait pas d'émerger bientôt. Alors, il devrait la filer. Ils s'enfoncèrent dans leur voiture fantôme garée de l'autre côté de la rue et ils attendirent. Le téléphone portable de Frédéric vibra bientôt contre sa poitrine. C'était Laplante qui l'informait d'un récent développement. Sylvie venait d'appeler à son travail pour dire qu'elle passerait au garage prendre sa voiture laissée en réparation et que, par conséquent, elle arriverait un peu en retard.

— C'est curieux, Frédéric.

— Quoi ?

— Tu n'as pas demandé à Sylvie si elle avait une voiture bleue.

— Je me suis dit que si elle en avait une, on la verrait bien. Mon plan était de l'inquiéter sans la rendre trop méfiante.

— À sa place, si j'étais coupable, je serais complètement terrorisée.

— Regarde sur le côté de l'immeuble !

— Oui, c'est elle. Elle a troqué le jean pour la jupe, mais c'est bien elle. Ce n'est pas normal. Pourquoi sortir par une porte de service ? Les poubelles sont au sous-sol !

— Oui, elle aura jeté un élément incriminant. Descends et, dès qu'elle se sera éloignée, fouille les poubelles. Je laisse la voiture ici. Je la suis à pied. Je t'appelle pour te donner d'autres directives. Si tu trouves quelque chose, rappelle-moi.

Les deux hommes s'exécutèrent. Frédéric n'eut pas à suivre très longtemps Sylvie. Il la laissa pénétrer chez un concessionnaire Honda. La voiture bleue vue devant la maison de Roxane était précisément une Honda. Il n'y avait plus de doute dans l'esprit de Frédéric : Sylvie, si elle n'avait pas commis elle-même le meurtre de Roxane, y était du moins liée intimement. Il communiqua avec Bernard, qui n'avait pas mis trop de temps à découvrir cette petite boîte bleue de *Cailloux lumineux* avec son contenu déjà photographié plus tôt. Frédéric jubilait. Il commanda à son collègue de venir le joindre au plus tôt puisque la poursuite de la filature exigerait

leur voiture. En attendant Bernard, Frédéric voyait bien, au travers de la baie vitrée
immense de la salle d'attente du concessionnaire automobile, celle qu'il ne voulait
pas laisser filer. Elle s'écarta soudainement
des autres clients. Dans un renfoncement, il
y avait un téléphone public. Elle y inséra une
pièce, puis elle composa un numéro. Elle se
mit à parler, longuement. Avec qui conver-
sait-elle ?

34

Il était autour de neuf heures trente quand Mario Ricard reçut un appel qu'on lui annonçait comme étant d'une urgence capitale. Encore un de ces artistes inquiets, pensait-il, qui ne comprend pas une des clauses de son contrat et qui préfère me déranger plutôt que de consulter notre attaché juridique. Heureusement pour son interlocutrice, le flot des contrariétés journalières ne l'avait pas encore aigri, lui, le grand imprésario, au point de faire répondre qu'il était absent. Il consentit à prendre l'appel.

— À qui ai-je l'honneur de parler ? commença-t-il, détestant ne pas être maître de toute situation.

— À celle qui connaît votre penchant pour les mineurs et qui pourrait vous dénoncer si vous ne lui obéissez pas.

— Qui est à l'appareil et de quoi parlez-vous ? hurla Ricard.

— Je suis une amie de Roxane.

— Je reconnais ta voix. Tu es Sylvie, sa régisseuse. Je me trompe ? Je reconnais toujours les voix.

— Exact ! Écoute-moi bien. Je veux te dire que j'ai laissé dans mon coffre-fort à la banque toutes les indications nécessaires pour ce qui est de ta relation avec Martin Bulle, que s'il m'arrivait un malheur, tout serait rendu public. Tu pourrais alors dire adieu à la vie. Autant sur le plan professionnel que familial. Autrement dit, tu serais un homme socialement mort. Mais il te reste une chance. Tu peux éviter cette déchéance si tu fais ce que je te demande.

— C'est cette vache de Roxane qui t'a parlé. Dire que je me suis démené comme un diable dans l'eau bénite pour lui faire des funérailles, pas nationales mais presque.

— Je ne m'inquiète pas. Si, par hasard, tu as fait quelque chose de bien, c'était sûrement dans ton intérêt. Mais sache que tu te trompes. Roxane ne t'a pas trahi. La seule qui l'ait jamais été dans toute cette histoire, c'est moi. Je l'ai appris ce jour fatidique où elle ne savait pas encore qu'elle mourrait. Alors que j'essayais de contacter l'éclairagiste à l'aide de mes nouveaux écouteurs sans fil, j'ai intercepté la conversation que tu as eue avec Roxane. Pour moi, tu es son complice. Vous avez détruit ma vie. Mais je te donne une chance aujourd'hui de te rattraper. D'abord, tu vas donner un coupable à la police. Je crois qu'en l'absence de Dany, la personne toute désignée sera son vieux prétendant, monsieur Bertrand Bellavance. Ensuite, il y a ce Frédéric, un enquêteur de la police que tu as déjà vu peut-être. Un accident est si vite arrivé. Son assistant me semble par ailleurs inoffensif. De toute manière, le coupable aura été trouvé et l'on passera, soulagé, à autre chose.

— Je ne suis pas un meurtrier.

— Tu as détruit ma vie et celle de bien d'autres personnes. À ta façon, oui, tu en es un, et l'heure des comptes est arrivée.

— Je n'ai pas d'arme.

— Ne te fous pas de ma gueule ! Tout ou presque peut servir d'arme. Et puis, pour peu qu'on le veuille, il ne doit pas être bien difficile d'acheter un revolver à Montréal. Consulte bien ton imagination machiavélique, comme tu l'as toujours fait, et je suis persuadée que tu arriveras à un résultat satisfaisant. D'ici deux jours, je veux que tout soit fait. Si tu réussis à dresser un plan intelligent, je suis même disposée à te prêter main-forte. Tâche d'être discret et futé.

Désemparé, Ricard prit soudainement conscience du mal qu'il avait probablement infligé tout le long de sa vie. Mais ce moment de lucidité, loin de le conduire à s'amender honorablement, le convainquit au contraire d'agir dans le sens indiqué par Sylvie Boisjoli. Ce serait le couronnement de sa duplicité. S'il avait réussi pendant une carrière de plusieurs décennies à jeter de la poudre aux yeux à tous et chacun et à en retirer des profits toujours plus considérables, il n'y avait pas de raison pour que sa chance ne se poursuivît pas. Par ce raisonnement spécieux, il se ressaisissait. Il parvenait à réaliser l'incroyable : transformer en défi personnel l'exigence morbide de Sylvie. Aussitôt cette transformation accomplie, il se creusa les méninges pour élaborer un plan digne de sa personne. D'abord, malgré son lot très lourd de responsabilités, il se dégagea une plage de temps pour mettre à exécution son infâme projet. Il communiqua avec ses collaborateurs de confiance pour déléguer toutes les tâches importantes en cours. L'album souvenir de Roxane et le DVD de ses funérailles étaient en production. Il convenait de s'occuper, par ailleurs, de la tournée de quelques chanteurs. En maître affirmé de l'illusion, il sollicita le soutien de son entourage en prétextant une tristesse infinie, voire insurmontable, qui le tenaillait depuis la disparition prématurée de Roxane. Chacun se réjouit de découvrir en son maître un être plus sensible qu'on ne l'avait jamais imaginé. Ricard fit tant et si bien que tous ses employés accueillirent avec joie la surcharge de travail qu'il leur imposait. Après cette première étape, il tapa une lettre que la police allait trouver plus tard, laquelle porterait la signature de Bertrand Bellavance.

35

Du coin de l'œil, Frédéric surveillait Sylvie Boisjoli. Il entendit une voiture s'approcher de lui. Bernard arrivait. Il le salua, se retourna immédiatement vers la salle d'attente où était Sylvie. Une porte se rabattait. Elle venait de quitter son champ de vision, elle paraîtrait d'une minute à l'autre. Frédéric alla s'asseoir dans la voiture. Bernard voulait lui montrer la boîte et le pendentif.

— Plus tard, pour l'instant ne quittons pas de l'œil la sortie du garage.

Une Honda rouge apparut, au volant de laquelle se trouvait un homme chauve, cravaté, le style agent d'assurances ; puis une autre, environ dix minutes plus tard, blanche, conduite par une dame aux cheveux blancs ; puis une troisième, environ quinze minutes après, grise cette fois, maniée par un jeune homme blond.

— Quelque chose ne va pas, signala Bernard, qui ne pouvait s'empêcher de considérer anormale cette attente.

— Sa Honda devait être prête. À moins qu'il y ait une autre sortie derrière.

— Je ne croirais pas. Je te propose d'entrer à l'intérieur pour jeter un coup d'œil.

— D'accord, répondit Frédéric, mais fais-toi discret.

— Je vais enlever mon imper, mettre mes lunettes de soleil. Déjà, je serai moins reconnaissable. De toute manière, elle n'avait d'yeux que pour toi, cette Sylvie. Quel mauvais goût, tout de même ! dit-il en se moquant.

— Ne perds pas ton temps en balivernes, vas-y !

Que se passait-il ? Le regard de Frédéric s'accrocha à la boîte bleue du bijoutier de la rue Greene, qui était souillée d'une tache de ketchup. Il l'ouvrit, reconnut le bijou, il le retourna : la perle n'y était plus. Il soupira. Heureusement, il restait les photos. Comment en avait-elle disposé ? Elle l'avait peut-être gardée. Mais pourquoi détacher et conserver cette perle ? Frédéric n'eut pas le temps d'échafauder d'hypothèses à ce sujet. Bernard revint, visiblement agacé. Il ouvrit la portière.

— Elle est partie !

— Comment ?

— Sa Honda bleue est maintenant blanche.

— Mais il s'agissait d'une dame aux cheveux blancs. Encore une perruque !

— On peut chercher son numéro d'immatriculation et demander qu'on l'arrête aussitôt que possible.

— Et sous quel motif ?

— Dissimulation d'une pièce à conviction, par exemple.

— Je ne suis pas certain que ce soit recevable, surtout dans les circonstances. Examine le bijou !

Bernard s'en voulait de n'avoir pas retourné la larme de turquoise quand il l'avait retrouvée.

— Nous finirons par la coincer. Après tout, nous avons des photos, nous savons qu'elle a fait repeindre sa voiture.

— Il ne s'agit pas vraiment d'un acte criminel. Et sans la perle, il sera bien difficile de prouver hors de tout doute qu'elle provient de la broche de Roxane.

— Un véritable cauchemar, cette affaire !

— Allons discuter un peu avec Laplante avant de poursuivre.

36

Au bureau, Laplante accueillit ses deux enquêteurs sans grande formalité. Il s'enquit des derniers résultats de l'enquête. Il examina les photos prises par l'appareil numérique de Bernard. Il était évident que Sylvie tentait d'échapper à la justice. Il était hors de question de la laisser narguer ainsi le service de police. Laplante, partisan indéfectible de la patience, suggéra qu'elle fût filée par un agent en attendant qu'elle commît d'autres erreurs compromettantes. L'accumulation des faux-pas la conduirait inévitablement à trébucher pour de bon. On acquiesça. On ne voyait pas ce qu'il y avait de mieux à faire. Laplante eut le plaisir d'annoncer que les recherches des stagiaires relatives au jus de framboise n'avaient pas été complètement vaines. Le propriétaire d'origine chinoise d'une boutique d'aliments naturels avait raconté que sa fille, en congé forcé le vendredi 23 mai, à la suite d'une fuite d'eau qui avait inondé sa classe, l'avait remplacé momentanément à la caisse le jour du meurtre. Monsieur Liu avait en effet dû s'absenter pour aller à la banque. De retour au magasin, il avait demandé à sa fille si elle avait vendu quelque chose. C'était la première fois qu'il lui confiait la responsabilité du commerce ; il était donc curieux de savoir comment elle s'était débrouillée. Elle n'avait vendu qu'un contenant de jus de petits fruits biologiques. Ce qui l'avait le plus frappé, c'était l'acheteuse. La jeune fille aurait dit à son père : « Papa, une espionne est venue ». Bien sûr, il avait demandé des explications. Ce jour-là, la température était douce. La femme portait un imper, un foulard vert bien noué sur la tête. Et le plus étonnant était sa chevelure rousse, parfaitement rousse. La jeune fille était certaine qu'il s'agissait d'une perruque. Un agent stagiaire zélé était allé à l'école secondaire de la jeune en question pour l'interroger. Elle avait confirmé ce qui avait été rapporté par son père. En faisant un effort de mémoire, elle avait même pu lui fournir un détail plutôt intéressant : cette femme avait un grain de beauté sur le bout du nez. En somme, quelque chose qui ne se manquait pas.

— Et en examinant les photos disponibles, j'ai pu remarquer ce signe distinctif sur la personne de Sylvie. Malheureusement, la mystérieuse *espionne* portait aussi des verres fumés parfaitement opaques. L'identification serait facilement contestable devant un tribunal. Il demeure que je considère Sylvie Boisjoli comme notre principale suspecte. Nous allons désormais la surveiller de très près.

— Qu'allons-nous faire maintenant ? demanda Bernard.

— Toi, tu vas assister cet après-midi à une conférence instructive sur les nouvelles ressources médico-légales qui s'offrent à nous en ce début de XXIᵉ siècle. La préposée aux formations te donnera les coordonnées requises. Quant à toi, Frédéric, pense à ce que tu diras en point de presse cet après-midi.

— Quoi !

— Nos standardistes sont débordés par des demandes de renseignements multiples. Les journaux sérieux et ceux qui le sont beaucoup moins rivalisent de supplications pour acquérir des détails sur votre enquête. Il est temps de leur donner quelques entremets en pâture. Je me fie à toi pour leur mettre sous la dent ce qui nous sera le plus utile. L'idéal serait de pousser la Boisjoli à commettre une faute impardonnable.

— J'ai une autre proposition, lança Frédéric.

Le chef se redressa et tendit l'oreille.

— Ce matin, nous avons pris en note les coordonnées des parents de Sylvie Boisjoli. J'ai l'impression qu'ils pourraient nous fournir des renseignements pertinents pour notre enquête.

— Pourquoi ?

— Jacques, le frère de Roxane a laissé entendre que sa mère avait peut-être eu un troisième enfant. Et si c'était Sylvie ? Elle vient
de la même région.

— Là, vous me sidérez, laissa tomber Laplante, est-ce que vos doutes sont bien fondés ?

— Si c'était le cas, l'enquête prendrait une
allure nouvelle. Cela expliquerait la visite
mystérieuse d'une rousse inconnue à l'hôpital Saint-Luc.

— Mais vous ne m'avez jamais parlé de
tout ça.

— C'est que je me réfère au témoignage
d'un employé d'entretien de l'hôpital auquel
je n'avais accordé aucune importance au départ, mentit Frédéric afin de couvrir son amie
Caroline.

— L'histoire se corse. Après le point de
presse, Bernard, vous irez interroger ses parents. Comment s'appellent-ils ?

— Géraldine et Maxime Boisjoli de Saint-
Jovite, lut-il dans son carnet de notes.

— Notre service de recherche vous donnera l'adresse exacte.

— Mais après le point de presse, il sera
tard.

— Encore votre femme ! Qu'elle s'habitue à la fin ! Vous voulez être enquêteur ou
caissier dans une banque ?

— Je n'ai rien dit !

— Vous pouvez me laisser maintenant.

Frédéric souhaita bonne chance à son collègue et lui demanda de lui téléphoner pour lui communiquer les résultats de son premier interrogatoire en solo. Une poignée de main fraternelle scella le duo. Le sentiment particulier d'une unité d'action émergea, réconfortant et fortifiant.

Si Frédéric était flatté de la confiance que lui témoignait son chef, il considérait toujours le contact avec les journalistes comme un sport extrême, une joute oratoire où les parades et l'atteinte des cibles visées revêtaient l'aspect d'un défi constant. Il avait un peu de temps devant lui, car les journalistes l'attendraient à la salle des relations avec la presse à quinze heures. Il décida de retourner chez lui pour se restaurer et faire une petite sieste. Le temps était maussade. Une bruine délicate conférait à la ville un air tristounet. Quand il était enfant, sa grand-mère disait : « Le temps chagrine ».

Le face à face avec les journalistes se déroula sans heurts ; Frédéric s'était replié sur la stratégie d'un discours minimaliste. Après réflexion, il avait conclu qu'un homme pèche davantage, généralement, par excès de confiance que par défiance, que l'insouciance préside naturellement au lapsus significatif ou même à la bourde accusatrice. Aussi résuma-t-il la situation de manière à ne pas affoler le gibier. L'enquête, difficile, avançait lentement et pour lors, il n'y avait pas de suspect bien précis. Il n'y avait que des pistes, qui semblaient, en définitive, ne mener nulle part. En somme, les propos de Frédéric misaient sur les effets probables d'une fausse sécurité. Le jeu était de faire croire que la menace pouvait encore être écartée, alors que l'étau se resserrait irrémédiablement.

37

Un peu après dix-neuf heures, Frédéric fut tiré d'un assoupissement par la sonnerie du téléphone. Il répondit et reconnut immédiatement la voix, un peu éraillée, de Bertrand Bellavance.

— Je m'excuse de vous déranger à votre domicile. Je me suis permis de chercher votre numéro et je l'ai trouvé.

— Bien.

— Il faut que je vous voie immédiatement.

— Ça peut attendre demain peut-être, poursuivit Frédéric qui pataugeait dans un demi-sommeil qu'il combattait difficilement.

— Non, pas du tout. J'ai des révélations importantes à vous faire.

— Vous savez qui est le ou la coupable ?

— Oui, c'est exact.

Frédéric se réveilla pour de bon. Le choc d'entendre Bertrand Bellavance affirmant connaître le meurtrier se doublait de perplexité. Pour que Bertrand Bellavance prît la peine de chercher son numéro et qu'il le contactât, déjà il y avait de quoi s'interroger.

— Mais pourquoi ne m'avez-vous rien dit plus tôt ?

— Venez et je vous déballe tout. Je ne dirai rien de plus au téléphone. Et venez seul !

— Pourquoi, vous n'aimez pas mon collègue ?

— Ce n'est pas du tout la question. Ce que j'ai à dire est pénible. Je ne me sentirai à l'aise que si vous venez seul. Deux oreilles pour entendre mon aveu, c'est bien suffisant.

— Vous êtes conscient qu'il faudra le répéter plus tard en cour.

— Je sais que le supplice n'est pas consommé. Merci de venir, monsieur l'agent, dit-il, puis la communication s'interrompit.

Qu'est-ce que ce Bellavance mijotait ? Il avait bien prononcé le mot *aveu*, cela signifiait qu'il avait commis lui-même le meurtre ou, du moins, qu'il en était complice. Pourquoi voulait-il déballer son sac à ce moment précis ? Le téléphone sonna de nouveau. C'était Bernard.

— Tu sais, Frédéric ? Je crois que j'ai conduit mon interrogatoire d'une façon presque impeccable.

— Pourquoi presque ?

— Je ne voulais pas faire pleurer d'honnêtes gens.

— Donc, tu n'y es pas allé avec le dos de la cuillère ?

— J'ai été délicat, mais ferme en même temps. Enfin, tu vas être fier, je me suis inspiré de ta façon d'agir. Tu ne diras pas que je suis homophobe.

— Et alors, venons-en aux faits. Qu'as-tu appris ?

— Sylvie Boisjoli est la sœur de Roxane, mais il semble que Sylvie ne l'ait appris que tout dernièrement. Ce serait madame Henriette Boisvert qui le lui aurait dit. La mère adoptive, madame Boisjoli, était contre l'idée, mais c'est elle qui les a mises en relation il y a environ un mois, cédant ainsi aux supplications de madame Boisvert, la mère biologique.

— Tu as dégoté autre chose ?

— Ça n'a pas été facile. Les parents étaient déchirés. C'est le père qui a fléchi en premier à mon interrogatoire, par peur d'être accusé éventuellement de complicité ; du moins, je le suppose. Sa fille les a appelés ce matin même pour leur demander de ne pas révéler le lien familial qui la liait à Roxane. Dans la seule perspective de ne pas nuire à ses parents inutilement, aurait-elle avancé. Et son père lui aurait promis de ne pas le faire. Aussi avait-il le sentiment d'avoir trahi sa fille. La scène était plutôt émouvante.

— Bernard, je vais te demander un service. Oublie ta femme pour ce soir !

— J'ai dit que je n'étais pas homophobe, je n'ai pas dit que j'étais homosexuel.

— Écoute-moi ! Bellavance vient de m'appeler. Il m'a dit qu'il voulait me faire des aveux. Il n'a pas été plus précis. Il réclame que j'aille chez lui immédiatement. Où es-tu ?

— Je suis dans un casse-croûte qui se trouve le long de l'autoroute 15 à la hauteur de Saint-Jérôme.

— Je vais aller tranquillement chez Bellavance. Je te demanderais de m'y retrouver. Il y a anguille sous roche.

— Je lance mon bolide à toute allure. Si possible, j'arrive avant toi.

— Reste prudent. Un accident est vite arrivé. Tu me seras plus utile vivant que mort.

— On croirait entendre une pub du ministère des Transports.

— À tout à l'heure !

— À bientôt !

Cette fois, Frédéric prit sa propre voiture pour se rendre chez Bellavance, une coccinelle vert fluo. Il se traîna les pieds, incertain de prendre la meilleure décision. Il pleuvait encore un peu, la chaussée était glissante. Il démarra et actionna le dispositif des essuie-glaces. Il s'engagea sur la route avec perplexité. À la radio, on annonçait qu'une moto avait heurté un piéton boulevard René-Lévesque, puis qu'un restaurant de Laval avait dû payer une forte amende après qu'on eut trouvé des croquettes de chat dans son buffet. Ces nouvelles ne lui plaisant guère, Frédéric syntonisa une autre chaîne radio. Son choix se porta sur une musique radicalement baroque ; il reconnut bientôt le mouvement ample et obsédant d'une chaconne. Lully dans sa splendeur solaire. Ce qu'il entendait le touchait. Toute cette passion rigoureusement contenue dans des mesures bien calculées lui ressemblait énormément. Surtout en cet instant où son instinct le mettait en garde, l'invitait à la prudence. Quand il arriva devant l'opulent pavillon de Bertand Bellavance, la pluie venait de cesser. Il descendit de la voiture, l'air frais était lourd d'humidité. Il poussa un portillon et s'aventura entre deux haies de tulipes jaunes et rouges, superbement épanouies. Il redressa la tête et vit que la porte du vestibule était entrouverte.

38

Pourquoi ce Bellavance n'était-il pas sorti pour l'accueillir ? Pourquoi son empressement à lui parler ? Il glissa sa main droite contre sa veste pour sentir au travers de la gabardine bleue le galbe de son arme de poing, son Walther P99, allié fidèle. Par habitude, il surmonta ses craintes et s'avança d'un pas résolu, s'astreignant à un calme réfléchi. Il s'approcha prudemment de la porte.

— Monsieur Bellavance ! appela-t-il.

— Oui, entrez, entendit-il, reconnaissant la voix de son interlocuteur.

Il poussa la porte, pénétra. Il vit à environ deux mètres devant lui la figure un peu pâle de Bellavance. Il referma alors derrière lui, mais, pas totalement, par mesure de sécurité.

— Je m'excuse, je voulais sortir quand la bouilloire a sifflé. Je suis allé la débrancher. J'ai fait bouillir de l'eau. Vous voulez un café ?

— Pourquoi pas ?

— Venez vous asseoir au salon. Merci d'être venu, poursuivit-il en lui tournant le dos et en avançant devant lui. Je suis désolé, j'ai peut-être été un peu cavalier. Mais vous ne le regretterez pas. Prenez place, j'arrive avec les cafés. Du sucre, du lait ?

— Un peu de lait, pas de sucre, je surveille ma ligne.

— C'est bien, dit sa voix un peu lointaine, j'ai toujours détesté l'inélégance des policiers à bourrelets.

Frédéric se demandait à quoi servait cette conversation superficielle. Sans doute voulait-on le mettre à son aise. Bientôt, Bellavance revint avec un plateau d'argent sur lequel se pavanaient deux tasses de couleur crème en fine porcelaine de Limoges desquelles s'exhalait un arôme d'arabica corsé. Frédéric prit la tasse que lui présenta son hôte. Bellavance s'assit devant lui. Il se désaltéra d'une gorgée de café.

— Délicieux. Je peux me targuer de réussir le café comme pas un.

Frédéric y humecta les lèvres sans détecter de goût suspect.

— C'est vrai, il est délicieux. Cela dit, loin de moi l'idée de vous bousculer, mais qu'avez-vous à me dire qui semblait si urgent au téléphone ?

— Je suis navré. Quand vous êtes venu l'autre jour avec votre collègue, j'ai menti.

— Alors, vous avez tué Roxane !

— Non, j'en aurais été parfaitement incapable, mais j'ai omis de vous dire quelque chose de capital.

— Dites !

— Le jour du meurtre, j'avais mangé en compagnie de Roxane et de ses deux assistantes, Nathalie et Sylvie. Roxane était particulièrement nerveuse, bien qu'elle tentât de n'en rien laisser paraître. Peu de temps après l'avoir quittée, je me suis rendu compte que j'avais oublié mon téléphone portable dans la loge de Roxane.

— Vous l'y aviez utilisé ?

— On m'a appelé alors que je déposais, dans un vase, des fleurs que j'avais apportées pour Roxane. Il s'agissait d'un client qui, finalement, acceptait une offre que je lui avais faite pour une étagère de style Louis XV. Je pourrai vous donner l'adresse de ce client pour vérification ultérieurement.

La déclaration de Bellavance était réglée au quart de tour, avec une précision d'horloger. Sa fourberie naturelle, acquise au fil de maintes années de négoce impitoyable, doublait celle de Mario Ricard qui, dissimulé, attendait son heure pour agir. Ricard avait convaincu Bellavance de l'assister dans sa tentative d'effacer les traces de sa culpabilité. Frédéric Paquin constituait une menace éminemment dangereuse. Il fallait qu'il l'aidât à s'en défaire. Il avait promis à Bellavance, dont la vénalité trouvait matière à s'épanouir, un million de dollars en premier lieu. Devant les scrupules hautement stratégiques de l'antiquaire aguerri, il avait fini, tout en feignant de souffrir horriblement de la situation, par concéder un million et demi, puis, défait et meurtri, deux millions. Bellavance, qui avait rêvé dans sa jeunesse d'être un grand acteur, voyait enfin une occasion de jauger son talent de comédien. Il avait bien étudié le scénario monté par Ricard et, comble de joie, pour ce dernier qui l'écoutait, tapi dans le fond d'une penderie, le vieux snobinard avait insufflé à sa mise en scène, par ses paroles choisies, une grâce inespérée. Quant à Frédéric, dont la méfiance s'était peu à peu infléchie, il avait machinalement bu son café. Grave erreur. Une dose de GHB l'avait transformé momentanément en zombie. Quand Bellavance eut constaté la mise hors circuit de Frédéric, il interpella son complice.

— Vous pouvez sortir de votre cachette, monsieur le magouilleur, déclama-t-il fièrement.

— Magnifique ! s'exclama Ricard avant de sortir de l'ombre et d'apparaître tout souriant.

C'est alors qu'il s'avança assez près, qu'il sortit une arme de sa poche d'imper pour abattre froidement Bellavance d'une balle en plein front. Le dégât fut considérable. Il poursuivit sans broncher l'exécution de son plan. Il noua Frédéric aux poignets. Il nettoya les tasses, les rangea. Il déposa près du cadavre de Bellavance une lettre dans laquelle ce dernier avouait sa honte d'avoir tué Roxane. Il ne pouvait laver son honneur que dans le sang. Il demandait pardon à la famille de sa fiancée pour le geste qu'il avait commis, résultat d'une jalousie extrême qu'il n'avait pas réussi à surmonter. Il traîna Frédéric jusqu'à sa voiture, qui l'attendait dans le vaste garage adjacent à la maison, à l'intérieur duquel deux voitures pouvaient prendre place et auquel il pouvait avoir accès sans passer par l'extérieur de la résidence. Il lança sans ménagement Frédéric dans le coffre de sa Volvo gris acier. Il le bâillonna et resserra ses liens avant de s'emparer de son trousseau de clés. Il revint sur ses pas pour effacer autant que possible toute trace de sa présence ou de celle de Frédéric. Il sortit, se rendit à la voiture de son captif et la conduisit deux rues plus loin, où il céda son siège à une femme rousse, sa complice, puis il s'en retourna à sa Volvo. Il l'avança dans la rue. Il revint encore sur ses pas avec un balai pour être certain qu'aucune trace de pneus ne resterait imprimée au sol. Il avait enfilé des gants. Il actionna le mécanisme de fermeture de la porte de garage grâce à la télécommande qu'il avait entre les mains, puis il lança celle-ci sous la porte précisément, avant qu'elle ne fût complètement close, et il déguerpit. Au moment même où, bien assis dans sa voiture, il s'ap-

prêtait à s'enfuir, le véhicule de Bernard surgit par derrière. Malgré la pluie qui recom-
mençait à tomber, le coéquipier de Frédéric
reconnut Mario Ricard au volant de la Volvo.
Sa présence lui sembla louche. Il klaxonna
pour solliciter un entretien. Ricard le regarda furtivement dans son rétroviseur. Bernard
s'attendait à ce qu'il descendît, Ricard en avait
l'intention, mais au moment de s'extirper à
contrecœur de son habitacle, il entendit un
gémissement. C'était Frédéric qui revenait à
lui, et qui manifestait sa détresse trop bruyam-
ment. Ricard, pris de panique, instinctive-
ment, enfonça l'accélérateur à fond. Une poursuite s'engagea. Ville Mont-Royal était
ceinturée. Le seul moyen de s'en sortir était
d'emprunter le boulevard Rockland et de fon-
cer à vive allure en direction nord. De cette
manière, il accéderait à l'autoroute des Laurentides. La fuite serait ainsi simplifiée. Dans
la tourmente des émotions, l'analyse, qui paraissait judicieuse, péchait par manque de
réalisme. Le jeudi soir, les citadins affluaient
au Centre commercial Rockland, ou encore
en sortaient. Ce mégacentre luxueux était
situé à proximité du rond-point l'Acadie, qu'il
fallait d'abord joindre pour emprunter l'autoroute des Laurentides. Ricard, traqué, essaya de se faufiler ; il brûla quelques feux
rouges, roula à demi sur le terre-plein sépa-
rant les voies de circulation afin d'effectuer

quelques dépassements hautement risqués. Du même coup, il rasa un massif de tulipes roses de l'aménagement paysager municipal. Finalement, ayant défié à outrance les règles élémentaires de la sécurité routière, sa voiture se trouva emboutie latéralement par une Mercedes qui surgissait d'une rue transversale. Bernard, qui l'avait poursuivi valeureusement, faillit s'aplatir sur la Mercedes accidentée, mais il ne la percuta que très légèrement. Cette poursuite endiablée l'avait passablement crispé, mais il réagit avec sang-froid. Il réclama du renfort sur-le-champ. Bientôt, pompiers, ambulanciers et policiers affluèrent. Il ne savait pas encore que Frédéric se trouvait dans le coffre de la Volvo. Il avait seulement pu constater de visu que Ricard, inconscient et le visage tout ensanglanté, était encore vivant. Le conducteur de la Mercedes gisait dans son sang et semblait sans vie. Bernard refoula les badauds curieux en attendant l'arrivée des secours. Quand Laplante apparut, Bernard s'en approcha pour lui confier les péripéties de la journée. Une équipe fut envoyée chez Bellavance. On découvrit finalement le corps meurtri de Frédéric. Il fut transporté de toute urgence à l'Hôpital Juif de Montréal, où son état ne fut pas jugé critique. Bernard s'en voulait de ne pas avoir bien saisi le cours des événements. Pourquoi n'avait-il pas pensé à ou-

vrir immédiatement le coffre de la Volvo ?
Tout s'était passé trop vite. Comment pou-
vait-il croire qu'un homme vénéré comme
Ricard pût s'abaisser à ce point ? Il resta toute
la nuit à l'hôpital, au chevet de son collègue,
en cherchant un sens à ce qu'il avait vécu depuis une semaine.

39

Au matin, Frédéric fut surpris, en s'éveillant, de retrouver Bernard à ses côtés. Celui-ci s'avança vers son lit et s'excusa de n'être pas arrivé plus tôt la veille, un terrible embouteillage l'ayant retardé.

— Que s'est-il passé ? demanda Frédéric encore confus.

Bernard résuma les événements. Frédéric souffrait de contusions multiples, mais avait eu la chance incroyable de n'avoir aucune fracture, ce qui n'était pas le cas de Mario Ricard, littéralement cassé en morceaux. Pendant que Frédéric reprenait des forces et qu'il se remettait de ses émotions, Laplante obtint de Ricard des aveux qui, bien que partiels, conduisirent à l'arrestation de Sylvie Boisjoli dont on découvrit finalement le parcours. Une perquisition à la *Salle des Spectacles* permit de retrouver la perruque rousse dont elle s'était servie pour passer incognito. On y trouva facilement quelques cheveux auxquels elle fut reliée grâce à une analyse d'ADN. Quant à la perruque blanche, retrouvée dans son sac à main, elle la tenait de la mère de son père adoptif. Sylvie, déclarée saine d'esprit, subit son procès avec une hargne peu commune. Elle défendit, du mieux qu'elle put, l'idée qu'elle avait été la vraie victime d'une chaîne d'événements funestes, qu'elle avait été emportée malgré elle par le désespoir. La trahison de sa sœur ainsi que celle de son complice abominable l'avaient amenée à commettre l'irréparable. Ensuite, elle affirma s'être engouffrée dans une dimension qui échappait au réel. Il lui avait semblé être l'héroïne d'un film de Hitchcock et elle avait incarné son rôle de justicière sans broncher, envers et contre le système judiciaire, toujours disposé à protéger les lâches et les criminels. Sa déposition permit de retrouver, par ailleurs, la coccinelle de Frédéric, abandonnée dans le sud-ouest de l'île à proximité du métro Angrignon. Quant à Ricard, qui affirmait avoir agi sous la menace de Sylvie Boisjoli, il s'était résigné à n'être plus qu'un monstre aux traits excessivement enlaidis par la rage médiatique qui s'abattait sur lui et dont il ne comprenait nullement l'acharnement. N'avait-il pas été tout au long de sa carrière aimable et souriant avec ces journalistes dont il était parvenu à se faire des alliés au gré des distributions de billets de faveur ? Ceux-ci n'avaient-ils pas pu assister gratuitement à tant de spectacles qu'il avait produits pour le plus grand bien de la communauté artistique tout entière ? Il avait tellement contribué du même coup à l'enrichissement culturel de tous ses compatriotes ! D'abord, animé par un instinct de survie sociale, il nia son passé de pédophile. Il se croyait, à tort naturellement, aimé de ses victimes. Martin Bulle se chargea de le désillusionner ; il expliqua la souffrance intérieure qui le grugeait. Il confirma les accusations portées par Sylvie Boisjoli. Cette criminelle fut ainsi à l'origine d'une enquête qui révéla non seulement les abus psychologiques et physiques commis sur Martin Bulle, l'enfant à la voix d'or, mais également, jadis, sur deux autres chanteurs qui osèrent, à la faveur des événements, briser le silence et se libérer de secrets qui minaient considérablement leur vie affective depuis fort longtemps. Les journaux populaires se régalèrent de détails scabreux.

Interrogée par Bernard relativement à la fameuse perle ayant disparu de la broche fétiche de Roxane, Sylvie Boisjoli, d'abord recluse dans un silence boudeur, finit par esquisser un sourire hautain et par grommeler avec mépris : « Pensez à Cléopâtre, monsieur l'agent ! » Bernard rapporta ces paroles à Frédéric. L'énigme n'était pas bien difficile à résoudre pour ce dernier. Sylvie, tout comme Cléopâtre, mais non pas pour lancer au célèbre Marc Antoine le défi qui visait à déterminer qui pouvait s'offrir le festin le plus onéreux, avait dissous la perle dans du vinaigre pour tout bonnement l'avaler. Pour quel motif ? Pour s'approprier une part de cet amour maternel qu'elle n'avait jamais eu et dont Roxane avait été la dépositaire indigne. Pour que cet amour d'une mère à jamais perdue nourrît enfin les fibres abandonnées de son corps et de son âme.

Caroline, qui apprit par la télé le périple macabre de Frédéric, alla lui parler dès le lendemain de sa mésaventure. Elle lui apporta des roses jaunes en témoignage de son amitié. Frédéric en fut ravi. Il adorait les fleurs, mais n'en recevait que très rarement.

Un mois plus tard, Frédéric, complètement remis, avait repris goût à la vie. Bernard était devenu un camarade de travail très estimable et Caroline lui restait amicalement fidèle. Un vendredi soir, il alla en compagnie de son amie au cabaret du Village gay où Dany, de retour de sa tournée latino-américaine, présentait une nouvelle revue musicale. L'atmosphère était festive. Furtivement, Caroline s'esquiva. Frédéric entendit alors une voix lui offrir un bonsoir velouté. Il se retourna : c'était le jeune homme aux longs cils noirs qui s'adressait à lui, celui-là même à qui il n'avait pas osé jusque-là parler. Il était encore plus sexy de près.

— Bonsoir.

— Comment t'appelles-tu ? demanda le bel inconnu.

— Frédéric Paquin.

— L'enquêteur !

— Oui.

— Et toi ?

— François Breille. Tu sais, je t'ai vu dans le journal, mais je te trouve encore plus craquant en personne.

Une secousse ébranla intérieurement Frédéric. Une musique latine connue se déploya telle une soierie parfumée et rythma sa respiration profonde. François glissa sa main dans la sienne et l'entraîna sur la piste de danse. Torse contre torse, chacun huma le corps frémissant de l'autre, s'enivra de sa chaleur, s'abandonna délicieusement à la volupté ascensionnelle d'une étreinte ensorcelante, tandis que la voix langoureuse de Dany planait, tel un condor grisé par la beauté vertigineuse des Andes.

Besame, besame mucho

Remerciements

Je me dois d'exprimer une vive reconnaissance envers M. Patrick Lavallée, policier du SPVM, pour ses observations éclairées ainsi que ma gratitude profonde à l'égard de Mme Paule Letteri, qui a lu le manuscrit avec minutie et patience.

Je tiens à remercier tous ceux qui, de près ou de loin, m'ont soutenu dans mon travail littéraire ; ceux-là se reconnaîtront aisément.

Table des matières

Note sur l'auteur

Marc Maillé est originaire de Labelle, dans les Laurentides, mais il vit à Montréal depuis plus de trente ans. Il y est d'abord venu pour étudier. Il a décroché une maîtrise en création littéraire à l'Université de Montréal, puis un doctorat en sémiologie à l'Université du Québec à Montréal. Depuis environ vingt ans, il œuvre dans le domaine de la francisation des nouveaux arrivants.

Il s'intéresse à tous les arts, mais plus particulièrement à celui de l'écriture. *De la couleur du sang* est son premier roman policier.

Dans la même collection

Camille Bouchard :
— *Les Enfants de chienne* (roman d'espionnage)
— *Les Démons de Bangkok* (roman d'enquête)

Laurent Chabin :
— *L'homme à la hache* (roman policier)

Michel Châteauneuf :
— *La Balade des tordus* (roman noir)

France Ducasse :
— *Les Enfants de la Tragédie* (roman portant sur la mythologie)

Frédérick Durand :
— *Dernier train pour Noireterre* (roman fantastique)
— *Au rendez-vous des courtisans glacés* (roman fantastique)
— *L'Ile des Cigognes fanées* (roman fantastique)

Louise Lévesque :
— *Virgo intacta, tome I : Arianne* (roman policier)
— *Virgo intacta, tome II : Estéban* (roman policier)

Marc Maillé :
— *De la couleur du sang* (roman policier)

Paul (Ferron) Marchand :
— *Françoise Capelle ne sera pas recluse* (récit historique)

Luc Martin
— *Les Habits de glace* (roman d'enquête)

Michel Vallée :
— *L'homme au visage peint* (roman d'enquête)

Achevé d'imprimer
sur les presses de Marquis imprimeur
en août 2007